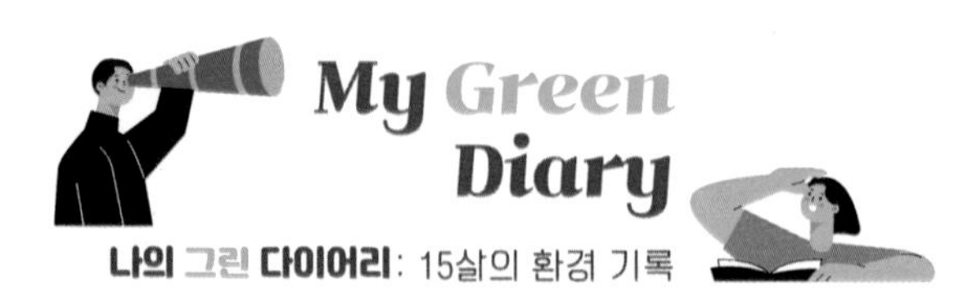

발　행 | 2023년 11월 27일
저　자 | 문산중 그린 다이어리
프로필 일러스트레이션 | 이가연
펴낸이 | 안점옥
펴낸곳 | 디자인플러스
출판사등록 | 2007.4.26.(제2007-000004호)
주　소 | 광주광역시 남구 금당로1번 안길 20
전　화 | 062-675-3144

ISBN | 979-11-962445-2-1

나의 그린 다이어리

: 15살의 환경 기록

문산중 그린 다이어리 지음

지도교사 **문은교** 엮음

목차

들어가며

어느 화창한 봄 날, 우리는 모였습니다.

'펀 펀 그린 다이어리'라는 동아리로 함께 모인 첫날, 우리는 교실이 아닌 텃밭에서, 햇살을 받으며 땅을 갈고, 흙을 다독이며 씨앗을 심었습니다.

두 번째 만남에서는 겨울을 이겨낸 부추를 직접 수확해서 부추전을 함께 만들어 먹었습니다. 제법 능숙한 솜씨로 직접 프라이팬을 돌리며 전을 부쳐내고, 선생님들께 나누어 드리기도 했습니다.

처음에는 부추를 아는 친구들이 거의 없었어요.

"선생님, 이게 뭐예요? 파예요?"

파랑 비슷하게 생겼으면서도 달라서 어리둥절해하며, 가위와 컷터 칼을 가지고 뿌리까지 뽑으며 어리숙하게 수확했던 것을 떠올리면 절로 웃음이 납니다.

아이들 대부분은 아마 고랑을 내고, 씨를 뿌리고, 밭에서 난 채소를 수확하는 것 자체가 처음이고 낯설었을 것입니다. 어떤 아이들은 텃밭에 물을 주는 모습을 보고, 호기심에 동아리에 가입하기도 했으니까요.

콘크리트 건물과 아스팔트 도로에 둘러싸여 살아가는 우리는 언젠가부터 흙을 생명을 품은 엄마 같은 대지라기보다 비문명화된 더러운 것으로 생각하게 된 것 같습니다. 세상이 발전하고, 점점 편리해지면서, 이상하게 우리는 서서히 자연과 멀어지고 말았습니다.

자연의 섭리도 발전과 편리함이라는 이상에 묻혀 점점 무시되고 있습니다. 공장에서는 쉴 새 없이 물건들이 생산되고, 세상은 쓰레기로 넘쳐납니다. 또 다른 생명의 보고인 바다도 거대한 쓰레기장으로 변해가고 있습니다. 가축도 더 이상 인간과 한 지붕 아래 같이 살며 밭을 비옥하게 해 주는 존재가 아니라 우리의 욕구를 채워주기 위해 공장에서 생산되는 음식이 되었습니다. 숲이 사라지고 첨단 기술을 장착한 건물이 들어옵니다. 심지어 인간마저도 일회용 플라스틱처럼 다루어지기도 합니다. 생명에 대한 존중은 사라지고, 도구와 목적만이 있습니다. 그 결과 우리는 심각한 기후 위기 상황을 마주하고 있습니다.

발전과 함께 남긴 무수한 탄소 발자국은 폭염, 폭설과 같은 이상 기후 현상, 해수면 상승, 식량 문제 등 다양한 문제를 일으킵니다. 생태 시계[1]는 이제 산업화 이전 대비 지구 온도 상승 1.5°C에 도달하기까지 6년도 남지 않았다고 경고합니다.

---

1) 생태 시계: https://climateclock.world/

이 책은 현재 우리가 직면한 심각한 기후 환경 문제를 극복하고자 노력했던 평범한 한국의 한 중학교 2학년, 15살 학생들의 기록입니다. 좋아하는 것도, 개성도 다른 아이들이 하나의 같은 꿈을 가지고 함께 모였습니다. 기후 위기가 없었다면 평범하게 각자 자신의 꿈을 펼치고 살아갔을 아이들이지요. 환경에 대해 함께 배우고 실천한 소소한 일상을 이제 여러분에게 나누고자 합니다.

1장에는 아이들이 가장 좋아하는 것에 대해 기록해보았습니다. 각기 다른 특성을 가진 아이들의 평범한 일상을 통해 기후 문제가 없었다면 어떻게 살아갔을지 가늠해 볼 수 있을 것입니다.

2장에는 환경 활동에 자양분이 된, 기후 환경에 관한 책을 읽으며 배우고 느낀 점을 담았습니다.

3장에는 그동안 아이들이 실시한 여러 가지 환경 활동이 담겨 있습니다. 텃밭 가꾸기, 환경의 날 보물찾기 행사, 플로깅과 쓰레기 맵핑, 기후 행동의 날 피켓 운동, 비건에 대한 중학생의 인식조사 설문, 시스템을 바꾸는 건의문 쓰기 활동 등 그동안 실천한 활동들을 담았습니다.

4장은 Fun Fun Green Diary의 전신인 Fun Fun English 동아리 회원들의 1년간의 환경 프로젝트 활동이 담겨 있습니다. 소수 정예이지만, 어벤져스처럼 멋진 역량을 보여주며 풍성한 활동을 했던 아이들입니다. 동아리 첫 시간에 뚝딱 1년 활동 계획을 세우고 계획을 현실로 차근 차근 구현해버린 멋진 아이들이지요. 이제 선배가 되었다고 후배들을 챙기고 도와주는 모습이 대견하기만 합니다.

15살!

사람들은 아직 어리다고 합니다.

맞아요. 아직 젊고 어리지요.

하지만, 이 위기를 극복하기 위해 용기를 내어 지금 여기에서 할 수 있는 것들을 실천하고 기록합니다.

완벽하지는 않지만 목소리를 내며 함께 하자고 사람들을 독려합니다.

더 많은 이들에게 닿고 싶은 마음에, 서툴지만 영어로도 기록해보았습니다.

어린 아이가 위태롭게 첫 걸음마를 떼듯, 아이들도 그렇게 비틀 비틀 아름답고도 위대한 첫 걸음을 떼고 있습니다. 아이들은 이렇게 성장하고 있습니다.

여러분을 이 첫 걸음마에 초대합니다.

여러분도 뜻을 함께 해 주시기를 청합니다.

미래가 아닌 지금 우리 모두를 위해서요!

2023년 가을

지도교사 문은교

1장

내가 좋아하는 것

나의 포근한 친구

양예린

저는 제가 가장 좋아하는 것을 소개하고자 합니다. 제가 가장 좋아하는 것은 제 오랜 포근한 친구들, 두 인형 토토와 예린입니다.

토토는 제 첫 번째 친구였습니다. 저의 어머니는 제가 1살 때 토토를 사 주셨습니다. 어렸을 때, 저는 항상 토토를 가지고 다녔습니다. 식사를 할 때나 소풍을 갈 때도요. 토토는 항상 저와 함께했습니다. 토토와 함께 했던 좋은 추억이 많이 있어서 저는 토토를 정말 소중히 여기고 있습니다.

또 다른 친구는 예린입니다. 저의 어머니는 제가 태어나기 전에 저를 위해 호랑이 인형을 만들어 주셨습니다. 그래서 저는 그 인형을 예린이라고 이름 지었습니다. 어머니는 그것이 저를 위한 것임을 나타내기 위해 "예린"이라고 배에 직접 달아 주셨습니다. 저는 예린이 너무 소중해서 매일 밤 껴안고 잤고, 지금도 가끔 그렇게 합니다. 예린은 제 어머니가 제게 해 준 최고의 선물입니다.

어릴 적 친구인 토토와 예린은 저에게 아름다운 추억을 많이 선물해 주었습니다. 지금은 다른 친구들이 많지만, 저의 어렸을 적 친구인 인형들과 놀았던 그날들을 결코 잊지 못할 것입니다.

하늘

이가연

밖으로 나와 고개를 들어보면 제가 가장 좋아하는 것이 저를 기다리고 있습니다. 바로 하늘인데요, 제가 하늘을 왜 좋아하는지, 하늘이 저에게 어떤 의미인지 살펴보겠습니다.

1. 오늘의 하늘은?

하늘은 볼 때마다 매번 모습이 달라서 보는 재미가 있습니다. 맑고 깨끗한 하늘, 석양이 지는 하늘, 별이 빛나는 하늘, 비 오는 하늘 등 특히 학원이 끝나고 집으로 돌아가는 길, 6시의 하늘은 정말 아름다워요. 여름에는 해 지는 모습이 아름답고, 겨울에는 어두운 하늘에 반짝이는 별빛이 아름답습니다. 오늘 여러분의 하늘은 어떤가요?

2. 하루의 시작과 끝

하늘은 하루를 열고 닫는 어머니의 따뜻한 포옹 같아요. 하루에 한 번이라도 고개를 들어 높은 하늘을 올려다 보면 하늘 아래 바쁜 삶에서 벗어나 잠시 여유를 즐길 수 있습니다. 제가 하늘을 좋아하는 이유이기도 합니다. 하루 중 언젠가 고개를 들어 하늘을 보면 왠지 기분이 좋아져요. 하루를 시작할 때는 저를 응원해주는 존재가 되고, 하루를 마무리할 때는 저를 위로해주는 존재가 됩니다. 하늘은 이 세상 모두를 포옹해줍니다.

3. 모두의 하늘

이처럼 하늘은 나, 그리고 우리 모두에게 눈과 마음의 푸른 안식처입니다. 매일 봐도 질리지 않고, 다양한 아름다움으로 지친 우리에게 위안을 줍니다. 바쁜 현대 사회에 살고 계신 여러분도 지금 잠시 밖으로 나가 고개를 들어 하늘을 올려다보는 것은 어떤가요? 잠시 여유를 즐겨보는 것도 괜찮아요.

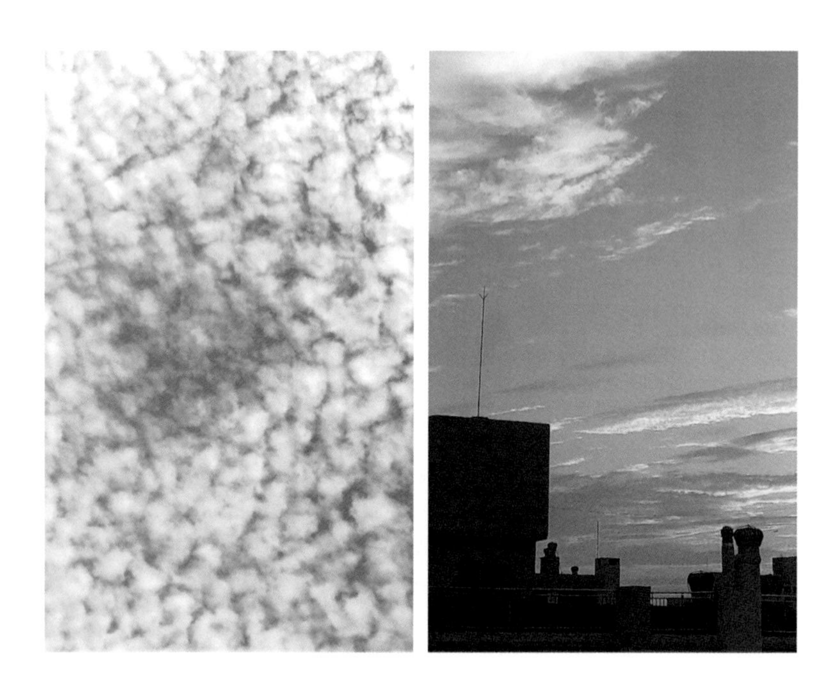

내가 가진 가장 오래된 물건, 체스 보드

유휘영

체스를 해본 적 있나요? 체스는 64개의 작은 정사각형으로 이루어진 판에서 하는 전 세계적으로 가장 인기 있는 전략 게임 중 하나입니다. 각 각 16개의 말을 가지고 상대편의 말을 잡으면서 상대편 왕을 잡으면 경기에서 이기게 됩니다.

저는 초등학교 2학년 때 처음 체스를 시작했습니다. 그리고 그때 받았던 체스판을 지금까지 사용하고 있습니다. 무려 7년이라는 세월을 함께 했어요.

체스는 제가 가장 즐기는 취미입니다. 체스를 할 때면 정말 신나고 행복하거든요. 체스를 하면 할수록 실력이 늘고 더 재미있어집니다. 때로는 공부에 싫증이 날 때 피난처가 되어주기도 해요.

저는 지난 7년 동안 체스가 있어 참 고맙고 행복했습니다. 여러분도 한번 체스를 시작해 보세요.

공부

김태희

안녕하세요!

제 이름은 김태희입니다. 저는 15살이고 하루 중 제가 가장 좋아하는 시간은 공부 시간입니다. 여러분은 공부하는 걸 좋아하시나요? 저는 공부하는 것을 좋아합니다.

공부를 하면 마음이 차분해집니다. 모든 것이 고요하고 평화로워 누구도 건드릴 수 없고 침범할 수 없는 나만의 세계로 빠져듭니다. 저는 그 평화로운 순간이 참 좋습니다.

공부를 열심히 하면 다른 좋은 점도 많습니다. 흥미에 맞는 진로를 찾고, 제가 바라는 일을 찾을 수도 있습니다. 하지만 무엇보다도 공부를 열심히 하면 다른 사람을 도울 수 있습니다. 한번은 제 친구가 수학 문제를 물어봐서 어떻게 푸는지 가르쳐 준 적이 있습니다. 저는 다른 사람을 도우면서 느꼈던 그 기쁨을 잊을 수 없습니다. 제가 쓸모 있는 사람처럼 느껴졌어요. 공부를 열심히 하면 이렇게 다른 사람에게도 도움이 될 수 있겠죠? 아무리 힘들게 공부를 해도, 남에게 도움이 될 수 있다는 것이 행복하고 기분이 좋아요.

그래서 저는 공부하는 것을 좋아합니다. 공부를 열심히 해서 교사가 되고 싶습니다. 지금까지 제 글을 읽어주셔서 감사하고, 모두 열심히 공부하시길 바랍니다. 그럼, 안녕!

나의 꿈

김은빈

안녕하세요!

저는 김은빈입니다. 제가 좋아하는 것을 소개하겠습니다. 저는 그림을 그릴 때 행복합니다. 옷, 사물, 캐릭터를 그리는 것을 특히 좋아해요. 저는 무언가를 스케치하고 관찰하는 것이 재미있습니다.

처음 그림을 그릴 때는 제가 그냥 좋아서 그렸다고 생각했습니다. 그림은 저의 감정과 새로운 경험을 표현하는 저만의 방법이었습니다. 하지만 지금은 진로를 결정하는 데 중요한 일이 되었습니다. 6학년 때 예술중 시험을 처음 봤는데 아쉽게도 떨어졌습니다. 그때는 조금 아쉬웠지만 그림을 포기하지 않았습니다. 저는 지치고 힘들어 하는 사람들에게 제 그림을 통해 희망을 전해주고 싶습니다. 이처럼 그림 그리는 것은 제가 가장 좋아하는 일입니다. 앞으로도 그림을 그리고 사람들에게 희망을 주는 그림을 그리기 위해 열심히 노력하겠습니다.

레서 판다 목베개

지연걸

안녕하세요! 저는 지연걸입니다. 제가 가장 좋아하는 것은 레서판다 목베개입니다. 붉은 판다처럼 생겼고 정말 부드러워요. 저는 에버랜드 사파리 존 기념품 가게에서 이 베개를 구매했어요.

사실 전 놀이기구를 별로 좋아하지 않아서, 그때 기분이 별로였어요. 어서 집으로 돌아가고 싶었죠. 그때 이 베개를 우연히 발견했어요. 귀여운 레서 판다를 보는 순간 기분이 풀렸어요. 왜 이 베개가 그렇게 좋냐고 물으신다면, 또 다른 이유도 있어요. 스마트폰을 자주 내려다보니 목이 자주 아파요. 하지만 이 베개를 착용하면 목이 별로 아프지 않아요.

레서판다 목베개는 제가 아끼는 소중한 물건이랍니다.

운동

박주영

저는 운동을 좋아합니다. 운동을 하면 건강이 좋아지고, 규칙적으로 일상 생활을 할 수 있는 힘이 생깁니다. 여러 가지 운동 중에서 제가 제일 좋아하는 것은 턱걸이입니다. 턱걸이를 알게 된 후부터 운동에 더 관심을 가지게 되었고, 이제는 운동 과정 자체를 진심으로 즐기게 되었어요.

여러분은 어떠신가요? 여러분도 운동을 좋아하세요?

독서

노영은

제가 가장 좋아하는 것은 독서입니다. 9살 때 소설책을 읽고 '독서'에 매료되었습니다.

독서는 다양한 매력이 있습니다. 우선, 독서는 마음을 안정시켜 줍니다. 상념을 떨쳐 버리기에도 좋습니다. 명상, 멍 때리기도 도움이 되지만, 저는 독서가 가장 재미있었습니다.

그리고 독서는 내가 사는 곳과는 다른 신비로운 세계로 가는 초대장이기도 합니다. 작가가 창조해낸 하나의 세계를 읽으면 저도 모르게 그 세계에 몰입하게 됩니다.

또한 독서는 독해력과 문해력을 기르게 해 줍니다. 다시 말해서, 공부를 잘 하는 데 도움을 줍니다. 저는 학교에서 상위권의 성적을 가지고 있습니다. 공부를 열심히 해서이기도 하지만 어렸을 때부터 꾸준히 책을 읽었기 때문이라고 생각합니다. 점점 어려워지는 시험 문제들 사이에서 살아남으려면 문제를 분석하는 독해력은 필수입니다. 저는 이 독해력을 기르는 방법으로 쉽고 재미있는 독서를 추천합니다.

마지막으로, 독서는 무료할 때 시간 보내기에 좋습니다. 책을 읽다 보면 2시간에서 3시간 정도는 순식간에 지나가 버립니다. 취미 생활로 삼기에도 좋지요. 독서는 접근하기에 쉽고 재미있습니다. 간혹 독서가 어렵다는 사람들이 있습니다. 만약 독서가 처음이거나 독서가 어렵고 재미없게 느껴지신다면, 이 방법을 추천합니다. 첫째, 좋아하는 장르를 찾고 그 장르의 책을 주로 읽어 보세요. 여러분이 좋아하는 장르이니 재미있게 읽으실 수 있을 겁니다. 둘째, 독서가 처음이라면 글이 적은 동화

책부터 시작해 보세요. 독서가 어렵다고 하는 경우, 읽고 있는 책이 글이 많거나 내용이 어려운 경우가 많습니다. 따라서, 글밥이 비교적 적은 동화책을 읽으면 글을 읽는 능력을 기르실 수 있을 것입니다.

지금까지 제가 독서를 왜 가장 좋아하는지 살펴보았습니다. 여러분도 책을 한 권 들고 재미에 빠져보시길 바랍니다.

2장

거인의 어깨에 올라서서

- 아이작 뉴턴

'파란 하늘 빨간 지구'를 읽으며 내가 생각한 책임

이가연

'파란 하늘 빨간 지구'라는 책은 많은 생각을 하게 하는 책이었습니다. 특이한 표지와 대비되는 단어를 사용한 제목이 마음에 들어서 고르게 되었는데요, 이 책을 읽으며 저는 우리 지구의 상황에 대해 더 잘 알게 되었고, 제 생각을 바꿀 수 있었습니다. 현재 지구의 상황은 어떻고, 우리는 어떻게 해야 할까요? 이 책을 읽으며 인상 깊었던 내용과 제 생각을 정리해보았습니다.

먼저, 자연이 인간에게 온 것이 아니라 인간이 자연에 들어왔다는 것입니다. 자연은 인간 없이 수천 년을 잘 버텨왔지만, 인간이 들어와 자연을 괴롭힌다고 합니다. 그 내용을 보고 저는 여태껏 잘 지내던 자연에 인간이 무단으로 들어와 환경을 파괴했으니, 인간들이 그에 따른 책임을 져야 한다고 생각했습니다. 특히, 현재 매년 자연에서 살고 있던 100종 이상이 멸종되고 있다고 합니다. 한 번 사라진 종은 되살릴 수 없다고 하니 더욱더 책임감 있게 행동해야 한다고 생각합니다.

둘째로, '미래는 주어지는 것이 아닌 이루어가는 것'이라고 합니다. 미래는 '정해진 길로 가는 것이 아니라 우리가 지도를 펴 나침반을 보고 길을 나아가는 것'이라는 내용이 있는데요, 저는 이 말을 보고 우리의 선택이 큰 역할을 한다는 것을 깨달았습니다. 미래는 우리가 만드는 것이기에, 지금부터 모두가 책임감 있게 작은 행동도 조심한다면 밝은 미래를 만날 수도 있을 것입니다.

셋째로, 기후변화 부정론자가 환경을 더 파괴시킨다는 것입니다. 기후변화 부정론자는 인간이 기후변화를 일으키고 있는 것이 아니고, 기후변화가 일어나더라도 적응하면 된다고 주장하고 있다고 합니다. 이러한 주장은 지구를 더 혼란스럽게 만들어서 환경을 더 망가뜨립니다. 지금 상황을 인정하고, 어서 바뀌어야 하는데, 오히려 부정하고 있다는 게 너무 답답하다고 생각했습니다.

마지막으로, 우리 모두 환경에 책임을 져야합니다. 이 책을 읽으며 지구의 생명은 아직 많이 남았다는 생각이 잘못되었다는 것을 깨달았습니다. 우리가 자연에 들어와 자연을 파괴했다는 것을 인정하고, 우리 모두를 위해 책임감 있게 행동해야 합니다. 우리가 살고 싶은 세상에서 살기 위해서는 다른 누군가에게 책임을 돌리지 말고, 저부터 직접 행동해야겠다고 다짐했습니다. 작은 행동 하나라도 조심한다면, 우리는 계속 파란 하늘을 만날 수 있을 것입니다.

환경 문제를 담은 책 '환경과 생태 쫌 아는 10대'를 읽고

김태희

환경 문제가 심각하다는 사실을 알고 계시나요? 사람들은 환경을 파괴하고 있어요. 이대로라면 우리는 지구에서 100년도 살 수 없을지 모릅니다. 사태의 심각성이 느껴지나요?

최원형 작가님의 책 '환경과 생태 좀 아는 10대'는 환경과 관련된 다양한 문제들을 다루고 있습니다. 저는 이 책을 읽고 환경 문제에 대해 느낀 제 생각을 여러분과 나누어볼 거예요. 여러분도 이 책을 읽고 사태의 심각성을 깨달으셨으면 좋겠습니다.

우선 이 책에서 가장 기억에 남는 부분은 바다에 관한 것입니다. 바다가 얼마나 아름다운지 여러분도 아실거예요. 바다라는 단어를 들으면 동화 "인어공주"처럼 맑고 푸른 바다와 형형색색의 물고기들이 헤엄치는 광경이 떠올라요. 평화롭고 아름답지 않나요?

하지만 바다가 죽어가고 있다는 숨겨진 진실이 있습니다. 마리아나 해구와 같은 바다의 가장 깊은 곳에서도 플라스틱이 발견되었습니다. 마리아나 해구는 태평양 북마리아나 제도 동쪽에서 남북동 쪽으로 2,550km에 걸쳐 뻗어 있는 세계에서 가장 깊은 해저입니다. 플라스틱이 그렇게 깊은 곳에서 발견된다면 바다에는 얼마나 많은 플라스틱이 있을까요?

바다에 사는 생물들은 플라스틱을 음식이라고 생각하고 먹습니다. 예를 들어, 어느 날 죽은 고래가 해변에 떠밀려왔습니다. 고래의 뱃속에는 다양한 플라스틱이 들어 있었다고 합니다. 고래만의 경우일까요? 심지어 우리가 먹는 생선까지도 마찬가지입니다. 이 원인이 무엇이라고 생각하시나요? 문제는 우리입니다.

우리는 이 상황을 바꾸기 위해 지금 당장 무언가를 해야 합니다. 환경 문제는 바다 밑에만 국한된 것이 아니기 때문에, 보다 적극적으로 이 문제에 대처해야 합니다. 예를 들어 플라스틱병을 살 때마다 환경이 어떻게 죽어가고 있는지 생각해 보아야 합니다. 일회용 플라스틱 병이나 컵 대신 재사용이 가능한 텀블러를 사용하는 것은 어떨까요?

결국 환경을 훼손하는 것은 우리 자신을 훼손하는 것이라고 생각합니다. 환경을 돌보는 것이 자신을 돌보는 것이라고 생각하십시오. 그러면 다시 건강한 환경이 우리에게 돌아올 것이고, 우리도 동화처럼 행복하게 오래오래 살 수 있을 것입니다.

'우린 일회용이 아니니까'를 읽고

박주영

고금숙 작가님의 '우린 일회용이 아니니까'는 '플라스틱 줄이기'라는 주제를 다루고 있습니다. 작가님의 말을 인용하자면 "플라스틱 없는 삶은 현재로선 불가능"합니다. 절망적으로 보이는 상황에서 작가는 플라스틱을 아예 안 쓰는 것이 아니라 조금씩 줄이는 방법을 제안하고 있습니다.

일회용 빨대를 예로 들어보겠습니다. 예전에 사람들은 플라스틱 빨대를 한번 쓰고 버리지 않고 여러 번 사용했다고 합니다. 하지만 지금은 한번 쓰고 버리는 것을 당연한 것처럼 여깁니다. 이러한 상황 때문에 환경 문제는 점점 심각해지고 있구요. 하지만 빨대를 사용하지 않으면 불편합니다. 그래서 작가님이 추천한 방법은 스테인리스 빨대입니다, 그것의 가장 큰 효과는 쓰레기가 발생하지 않는다는 것입니다. 물론 단점도 있습니다. 그때그때 씻기가 귀찮고 또 상대적으로 비위생적이기도 하지요.

플라스틱을 줄일 수 있는 또 다른 방법 중 하나는 고체 치약을 사용하는 것입니다. 이 책을 읽고 제로 웨이스트 샵에서 대나무 칫솔과 고체 치약을 구입하여 사용해 보았습니다. 고체 치약은 보기에는 사탕 같은데 씹으면 치약 맛이 납니다. 사탕 같은 치약덩어리를 씹고 양치질을 하면 거품이 생기면서 우리가 쓰는 치약과 똑같아집니다.

고체 치약을 사용하면 치약을 다 쓰고 플라스틱 튜브가 나오지 않습니다. 하지만 단점도 있습니다. 오랫동안 보관하지 못하고, 가끔 치약 알

갱이가 이 사이에 끼어서 씁쓸한 맛이 남기도 합니다.

마지막으로 사람들은 요즘 대부분 배달 음식을 시켜 먹습니다. 음식을 시키면 일회용 숟가락과 젓가락이 함께 오는데 이것을 거부할 수 있습니다. 배달 앱으로 주문할 때 주지 말라고 체크하거나 음식점에 필요없다고 말하면 일회용 수저와 젓가락을 받지 않을수 있습니다. 귀찮을지도 모르지만, 될 수 있으면 집에 있는 스테인리스 숟가락, 젓가락을 쓰도록 합시다.

지금까지 일상생활에서 플라스틱을 줄일 수 있는 방법을 살펴보았습니다. 이 글을 적으며 저도 저의 평소 생활을 되돌아보았습니다. 환경동아리 활동을 제외하면, 환경을 가꾸고 보호하는 일을 한 적이 없었던 것 같습니다. 그래서 저도 이제 환경을 위한 작은 습관을 만들고자 합니다. 지금까지 제가 드린 제안이 실천하기 어렵고 귀찮을 수도 있습니다. 솔직히 저도 역시 귀찮고 모르는 척하고 싶습니다. 하지만 더 나은 내일, 곧 미래를 위해서 한번 시도해 보는 것도 좋지 않을까요? 이러한 사소한 행동 하나하나가 우리의 앞날을 바꿀 수 있습니다.

'동물들의 위대한 법정'을 읽고

유휘영

'동물들의 위대한 법정'은 인간인 재판장이 있는 법정에 여러 동물들이 서서 자신을 왜 보호해야 하는지 변호하는 내용입니다.

저는 여러 동물들 중 갯지렁이의 이야기와 들북 살모사의 이야기가 가장 인상깊고 신기했습니다. 먼저 갯지렁이의 이야기를 들어보겠습니다.

"인간들은 항상 급하게 수혈할 피를 찾습니다. 전쟁, 전염병, 범죄, 교통사고, 일은 끊이질 않습니다. 제 피는 아주 특별하죠. 누구에게나 수혈할 수 있습니다."

이 이야기를 보고 인간에게 피를 수혈할 수 있는 갯지렁이의 능력이 놀랍고 신기했습니다. 그러나 좋은 생각만 든 것은 아니었습니다. 왜냐하면 갯지렁이의 피가 필요하다 해서 많은 갯지렁이가 영문도 모른 채 죽어갔을 것 같기 때문입니다. 또한 갯지렁이를 잡는 과정에서 여러 갯벌이나 서식지가 파괴되지 않았을까라는 생각도 들었습니다. 따라서 갯지렁이를 보호하고 환경 파괴를 최소화하기 위해 노력해야겠다고 생각했습니다.

두 번째 들북 살모사의 이야기를 들어보겠습니다.

"우리는 한 세기 넘게 평화롭게 공존했습니다. 제2차 세계대전 이후 모든 것이 바뀌었어요. 가까이 있는 코트다르쥐 (살모사의 서식지)

에 사람들이 몰려들게 된 겁니다. 스키를 타러 오는 사람, 관광객들이 제가 사는 곳으로 들이닥쳤습니다. 도로를 뚫고, 주차장을 만들고, 알프스 산맥 중턱 산악지대에서 어마어마하게 인기 있는 자전거 경주를 열었습니다. 제가 사는 보호구역에 스키장이 생기면서 리프트 기계, 스키 코스, 숙소 겸 식당들이 들어섰습니다."

이 이야기를 듣고 우리가 살모사와 같은 동물들의 서식지를 무분별하게 파괴하고 있다는 것을 깨달았습니다. '복원 계획'과 '전국 활동 계획' 등 여기저기에서 살모사를 보호하려고 하는데도 파충류학자들은 살모사가 앞으로 30~40년 안에 멸종할 것이라고 예측하고 있습니다. 우리가 자연을 위해 하는 일이 턱 없이 부족하다고 느껴져 안타까웠습니다.

이 책 '동물들의 위대한 법정'은 동물과 환경에 대한 우리의 역할을 되새기게 하는 좋은 작품이었습니다. 여러 동물들의 이야기를 통해 인간과 동물 간의 관계와 생태계 보호에 대한 생각을 많이 하게 되었습니다. 우리의 관계는 전혀 평등하지 않았고 인간은 동물을 인간의 편의대로 착취했습니다. 서식지를 파괴하고 멸종에도 아랑곳하지 않았습니다. 마지막에 동물들은 말합니다.

"우리는 다시 침묵할 겁니다. 울음소리와 노랫소리로, 날카로운 소리와 지저귐으로. (중략) 이제 당신들이 말할 차례입니다."

우리의 미래를 확신할 수 없지만 이제 우리는 동물들의 울부짖음에 답해야 합니다. 너무 늦기 전에 지금 당장 환경파괴를 최소화해야 합니다.

‘도와줘요, 기후박사!’를 읽고

김은빈

김해동 박사님의 책, ‘도와줘요, 기후 박사!’는 우리가 겪는 기후 위기의 원인과 영향, 해결책을 설명해 주는 책입니다.

기후 위기란, 기후변화가 극단적인 날씨뿐만 아니라 물 부족, 식량부족, 해양 산성화, 해수면 상승, 생태계 붕괴 등 인류 문명에 회복할 수 없는 위험을 초래하여 획기적인 온실가스 감축이 필요한 상태를 말합니다.[2)]

오늘날 지구는 기후 위기가 악화되면서 몸살을 앓고 있습니다. 북극권은 기온이 상승하면서 빙하의 면적이 급격히 줄어들고 있습니다. 또한, 북극권의 찬 공기가 남쪽으로 내려와 겨울에 극심한 추위를 일으키고 있습니다. 같은 이유로 북아메리카 서부지역에서는 초고온 현상으로 720명 이상의 사망자를 내기도 했습니다. 바다에서는 해수 온도가 상승하고 산성화가 진행되어 산호가 하얗게 변하는 백화현상이 심화되고 있습니다.

작가는 이러한 기후 변화로 직면할 수 있는 세 가지 시나리오를 제시합니다. 첫 번째는 지구 온도 상승으로 인해 걸프 만류가 약화 되어 멈추는 것입니다. 만약 걸프 만류가 북상하지 못한다면, 유럽은 지구 온난화 때문에 빙하기에 직면할 것입니다. 두 번째는 아마존 열대우림이 사라지는 것입니다. 이산화탄소 농도가 높아지면 아마존 열대우림의 식물들은 오랫동안 기공을 닫은 채로 있게 되는데, 이는 자연스럽게 증발을 줄여 강우량을 줄이게 됩니다. 마지막으로, 얼어붙은 토양과 해저에서 나

2) 출처: 기후 위기 적응 정보 포털

오는 메탄 가스 배출은 많은 양의 메탄을 대기로 방출하여 지구 온난화를 가속화시킬 수 있습니다.

이와 같이 점점 악화되는 기후 위기를 막기 위한 각계의 노력도 있습니다. 로컬푸드를 이용해 탄소 발자국을 줄이거나, 지구로 들어오는 햇빛을 인위적으로 반사시켜 온도를 낮추는 태양 복사 조절 기술(SRM)과 온실가스 대부분을 차지하는 이산화탄소를 줄이는 이산화탄소 포집 기술처럼(CDR) 다양한 과학 기술을 이용하여 기후 위기에 대처합니다. 또한 개인적으로는 로컬 푸드를 이용하여 탄소 발자국을 줄일 수도 있습니다.

지금까지 기후 위기로 인한 문제들과 이를 해결하기 위한 사람들의 노력에 대해 이야기해 보았습이다. 이 책을 읽고 저는 기후위기로 인해 고통받는 생물들이 생각보다 많다는 알게 되었고 기후 위기가 얼마나 심각한지 깨달게 되었습니다. 기후 위기로 더 이상 고통받는 생물들이 없도록 우리도 기후 위기에 관심을 가져서 불필요한 불을 끄고 대중교통을 이용하는 등 작은 일이라도 실천해야 합니다. 이러한 작은 행동이 기후 문제를 해결하는 출발점이라고 생각합니다. 지금부터 우리 모두 기후 위기의 심각성을 느끼고 우리가 할 수 있는 작은 일부터 시작합시다.

‘산소발자국을 따라서 지구 지키기’를 읽고

지연걸

‘산소발자국을 따라서 지구 지키기’는 13명의 대구과학고 환경동아리 학생들이 선생님과 함께 쓴 책입니다. 환경에 대한 관심으로 만들어진 이 책은 총 6부로 구성되어 있습니다.

1장은 환경 문제를 다룬 책들을 소개하고 있습니다. 그 중, 저는 “육식의 종말”이라는 책이 가장 흥미로웠습니다. 처음에는 육식과 환경이 어떤 연관이 있는지 잘 몰랐습니다. 하지만, 육식은 환경에 부정적인 영향을 미칩니다. 가축을 기르는 목초지를 만들고, 가축의 사료로 쓰이는 옥수수나 콩을 재배하기 위해 사람들은 숲을 파괴합니다. 또, 소가 방귀을 뀔 때 나오는 메테인은 지구의 온도를 높혀 지구온난화를 일으킵니다. 결국 육식과 환경이 관계가 없다고 생각했는데 아니었습니다. 육식과 마찬가지로 이를 닦거나, 에어컨을 사용하는 것처럼 우리가 일상생활에서 하는 사소한 행동들도 환경과 긴밀하게 연관이 있다는 것을 다시 한번 생각하게 되었습니다.

제게 가장 기억에 남는 부분은 4장 ‘나아가다’ 입니다. 이 장에서는 쓸모 없는 것들도 일상생활에서 사용가능하게 만들어 재활용하는 상점들과 제로 웨이스트 샵을 소개해줍니다. 저는 제로 웨이스트 카페가 정말 신기했습니다. 카페는 보통 테이크아웃이 가능한데 여기는 테이크아웃을 하려면 반드시 용기를 가져와야 합니다. 또한, 카페 의자는 식품통으로, 빨대는 쌀로 만들어져 있어서 플라스틱 쓰레기가 나올 일이 없었습니다. ‘제로 웨이스트란 이런 걸 말하는거구나’ 라는 생각을 하게되었습니다.

그 밖에도 이 책은 친환경 밀랍 랩이나 우유 팩 저금통 만드는 법과 같이 일상생활에서 유용하게 활용할 수 있는 친환경 제품에 관해 알려 주기도 했습니다.

이 책을 읽고 환경 문제를 어떻게 다루고, 해결할 수 있을지 배우게 되었습니다. 저는 오직 상상력이 뛰어나고, 글쓰기 역량이 뛰어난 작가만 책을 쓰는 줄 알았는데 학생들이 이 책을 썼다는 사실에 놀랐습니다. 그리고 환경 문제를 해결하기 위해 우리 모두 각자 할 수 있는 일이 있다는 것을 알게 되었습니다.

나도 환경 운동가

지구가 쉬는 공간

김태희

여러분, 안녕하세요!

저는 우리 동아리 'Fun Fun Green Diary'에서 했던 활동 중 하나를 소개해 드리겠습니다. 이번 여름, 우리는 지역에 있는 제로 웨이스트 매장 중 한 곳을 방문했습니다. '제로 웨이스트'는 쓰레기가 나오지 않는다는 뜻으로, '재사용이나 재활용을 권장하여 폐기물이 될 수 있는 자원이 낭비되지 않도록 하는 자원 보호 원칙'이에요. 제로 웨이스트 매장에는 이런 가치를 지향하는 재미있는 물건들을 많이 팔아서 정말 신이 났어요!

다양한 친환경 제품 중 가장 제 눈길을 끈 것은 코끼리 똥으로 만든 수첩이었습니다. 사실 똥이라고 하니 냄새도 나고 더러운 줄 알았는데 그렇지 않더라고요. 그냥 보통 친환경 수첩이었어요! 나무나 숲에 해를 끼치지 않고 버려지는 똥으로 종이로 만들다니, 정말 좋은 방법이네요!

이외에도 용기 없이 알맹이만 사는 물품도 있었어요. 티백 없이 찻잎만 무게를 재서 살 수도 있었는데, 찻잎을 우려낸 차의 맛은 자연의 맛 그대로더라고요. 또, 용기를 가져오면 플라스틱 용기를 재활용해서 샴푸나 세제를 살 수도 있었어요. 가지고 오지 않은 사람들을 위해 플라스틱 용기를 기부받아 제공하기도 했어요.

저는 매장을 둘러본 후 용기 없는 샴푸와 찻잎, 그리고 실리콘 빨대를 구매했습니다. 친환경 제품을 구매하면서 자연에 해를 끼치지 않았다는 생각이 들어서 뿌듯했어요.

여러분도 여러분 마을의 제로 웨이스트 매장을 찾아보세요. 아마 후회하지 않으실 거예요.

환경을 살리는 작은 물건

김태희

실리콘 빨대에 대해 들어본 적 있나요? 실리콘 빨대는 친환경적인 빨대예요. 왜 친환경적이냐구요? 왜냐하면 실리콘 빨대는 독성이 없어서, 사람의 몸에 해를 끼치지 않고, 여러 번 쓰기 때문에, 쓰레기 배출량을 줄여 환경에도 덜 해를 끼치기 때문이에요.

그런데 사람들은 왜 이런 좋은 빨대를 두고 플라스틱 빨대를 사용하려는 걸까요? 아마도 환경에 관심이 없기도 하고 편리함을 추구하기 때문일 거예요.

플라스틱 빨대는 편하기는 하지만 단점이 많아요. 첫째, 플라스틱 빨대는 잘 분해 되지 않아요. 이 플라스틱은 땅에 쌓일 수도 있고 심지어 바다에서 쓰레기 섬도 만들기도 해요. 이렇게 버려진 플라스틱 쓰레기는 미세 플라스틱이 되어 우리가 마시는 물, 음식에도 들어갈 수가 있어요. 둘째, 플라스틱의 주재료는 화학물질이라서 우리 몸에도 해로워요. 환경 호르몬과 발암물질을 포함하고 있기도 하죠. 이런데도 계속 편리한 플라스틱 빨대를 사용하실 건가요? 가볍고 휴대하기 좋은 실리콘 빨대를 가방에 넣어두시는 것 어때요?

나의 첫 줍깅

양예린

'줍깅'에 대해 들어본 적 있나요? '줍깅'은 '플로깅'의 우리말 표현인데요. '플로깅'은 스웨덴어로 '조깅'과 '플로카 업'의 합성어로 '쓰레기를 주우며 조깅한다'는 뜻입니다. 저는 환경의 날을 맞아, 학교 동아리 친구들, 선생님과 함께 줍깅을 하면서 우리 동네 쓰레기 지도를 완성해 보았습니다. 이 과정에서 제가 본 것, 느낀 것, 생각한 것 등을 글로 써보고자 합니다.

저희는 우리 학교에서부터 학교 주변 얕은 산인 삼각산 입구까지 쓰레기를 주우면서 어떤 쓰레기가 떨어져 있는지 지도에 표시했습니다.

줍깅을 하면서 느꼈던 점은 생각보다 쓰레기가 많지 않았다는 점입니다. 공원에는 쓰레기 봉투가 있어서 사람들이 자발적으로 쓰레기를 잘 버리고 있었어요. 하지만 조금 위험할 수 있는 쓰레기들도 있었습니다. 고장 난 우산이나 파이프같이 강도가 있는 물건, 깨진 유리병과 같은 쓰레기들은 주의를 기울이지 않으면 다치기 쉬워 보였습니다.

줍깅이 끝나고 완성된 쓰레기 지도를 보니 쓰레기 대부분은 담배꽁초나 식품 포장지였어요. 가장 심각한 것은 담배꽁초였습니다. 특정 지역에 집중적으로 떨어져 있었거든요. 제일 먼저 들었던 생각은 길가 곳곳에 재떨이를 놓는 것이 좋을 것 같다는 것이었습니다. 그래서 한곳에 모아 놓으면 치우기도 쉽고, 미관상으로도 더 깔끔해 보일 것 같거든요. 그리고 쓰레기통을 많이 놓는 것 보다 쓰레기장의 위치를 알려주는 것이 훨씬 효율적일 것이라는 생각도 들었습니다.

줍깅을 하며 쓰레기 무단투기 문제에 대해 더 많은 대안이 생겼으면 좋겠다는 생각이 들었습니다. 많은 사람이 줍깅을 하며 쓰레기 문제에 관심을 가지고 좋은 결과를 만들어내는 날이 왔으면 좋겠습니다.

환경의 날 첫 행사

김은빈

환경의 날에 우리 동아리 Fun Fun Green Diary는 전교생을 대상으로 보물찾기와 보물지도 완성하기 이벤트를 실시했습니다.

보물찾기 행사는 학교에 있는 여러 종류의 식물들을 찍는 활동과, 지정된 꽃을 찾아 사진을 찍어서 보물 지도를 완성하는 것으로 크게 두 가지 행사였습니다. 저는 포스터를 만들어 친구들이 이 활동에 참여하도록 안내하고 홍보하는 역할을 맡았습니다.

처음에 이 역할을 맡았을 때는 재미있을 것 같았는데, 계획이 바뀌면서 포스터를 수정하는 과정이 힘들었고, 만들면서 이 포스터를 보고 학생들이 참여할지 안 할지 걱정이 되기도 했습니다.

행사 당일, 다행히도 많은 친구들이 행사에 참여해 주었고, 그 모습을 보니 마음이 놓이면서, 제가 직접 만든 포스터를 전교생에게 공유했다는 것이 재미있었습니다.

또한, 보물찾기를 하면서 우리 학교에 다양한 식물들이 함께 이 공간을 공유하고 있었다는 걸 느꼈습니다. 이름을 몰랐을 때는 특별할 것 없는 일반 꽃이었는데, 이름을 알고 난 후 그 식물들에 관심이 생겨 집에서 키우기도 하고 레몬나무를 심어보기도 했습니다.

이 행사로 여러 식물들을 알게 되었고 식물을 그려보는 것도 재미있었습니다. 식물을 그리며 학교 식물 도감을 만들고 싶다는 생각도 했습니다.

환경의 날 행사는 계획대로 잘 마무리 되었습니다. 행사를 준비할 때나, 참여할 때 많은 것을 배우고 경험할 수 있었습니다. 그리고, 앞으로도 식물에게 관심을 가져서 조금이나마 환경에 도움이 될 수 있게 내가 할 수 있는 작은 일이라도 실천해야겠다는 생각이 들었답니다.

보물 찾기

지연걸

5월 어느 날, 우리 동아리 회원들이 모두 모였습니다. 우리가 모인 이유는 '환경의 날' 행사를 준비하기 위해서였습니다. 6월 5일 환경의 날까지 약 3주 정도가 남아 있어서 우리는 무엇을 하면 좋을지 서로 의견을 주고받았습니다. 그때 한 친구가 '보물 찾기'를 제안했습니다.

우리는 그 생각이 좋을 것 같아 그 의견에 대해 더 구체적으로 이야기했습니다. 우리는 우리 학교에 있는 꽃이랑 나무를 보물이라고 생각하고, 우리 학교 꽃, 나무 사진전을 열고, 보물 지도를 완성해 기후 해결책을 찾는 행사를 계획했습니다.

우리 학교 꽃, 나무 사진전은 우리 학교에 보물인 꽃 또는 나무 사진을 찍어 패들렛에 올리면 간단한 선물을 주는 이벤트입니다. 그동안 바쁘다는 이유로 보지 못한 보물들을 찾아보고 관심을 갖도록 하는 것이 목적입니다. 보물 지도를 완성해 기후 해결책을 찾는 활동은 게임 형식인데, 정해진 꽃 사진과 설명을 힌트 카드로 제공하고, 그 꽃이 있는 장소를 우리 학교 보물 지도에서 찾아 순서대로 부여된 글자를 연결하여 답을 찾는 활동입니다. 보물을 찾아 떠나는 모험가가 되는 듯한 인상을 주며 재미있게 학교의 식물에 관심을 갖고 정답인 '탄소 중립'에 대한 인식을 높이는 목적이 있었습니다.

이 두 가지 행사를 진행하기 위해 우리는 역할을 분담하였습니다. 보물찾기를 위해 힌트 카드와 홍보 포스터를 만들고, 상품 선정이나 배부, 행사 진행에 대한 더 세부적인 내용에 대해 회의하는 것으로 역할을 나눴습니다.

제 역할은 보물 지도에 필요한 힌트 카드를 만드는 것이었습니다. 식물 사진을 찍어 동아리 단톡방에 그 식물에 대한 설명을 공유하고, 자료를 한데 모아 힌트 카드를 만들었습니다. 저와 같은 역할을 받은 동아리 회원들은 식물 사진을 찍기 위해 학교 구석구석을 둘러보았습니다. 이름을 모르는 식물들은 인터넷을 검색하여 식물의 이름을 알아보고 관련된 정보를 적었습니다.

실은 식물 사진을 찍으려고 할 때마다 친구들이 장난을 많이 쳐서 정말 힘들었습니다. 그래서 이 행사를 준비할 때 정말 우리의 힘으로 이 행사를 열 수 있을까 의문이 들기도 했습니다.

하지만 행사는 성공적으로 마무리 되었습니다. 행사에 참여한 학생들이 학교를 돌아다니며 꽃, 나무 사진을 찍어 재밌는 표현과 함께 페들렛에 올리는 모습을 보니 행사를 준비 하길 참 잘했다는 생각이 들었습니다. 이 행사를 개최한 이유는 생태 감수성을 기르기 위한 것이었는데, 이 활동을 통해 많은 학생들이 자연의 아름다움을 느꼈기를 바랍니다.

할미꽃 (3701 김그린)—예시

예쁜꽃이 지고 나면 할머니처럼 머리가 새하얗게 변합니다.

흰머리마저 고상하고 아름답네요.

2520정인서 어성초

나팔처럼 생기기도했고 흰색에 아름다운꽃이였다

팬지(2508김태희)

꽃들이 예쁘게 피었어요 예쁜꽃들을 보니 힐링이 되네요!

모두를 위한 캠페인

김태희, 김은빈

많은 사람 앞에서 캠페인 활동을 하는 것은 어렵습니다. 하지만 막상 해보면 생각했던 것만큼 부끄럽고 어려운 일은 아닙니다. 그 캠페인이 나를 비롯한 모두를 위한 일이라면 조금 부끄럽고 민망하더라도 충분히 도전할만한 가치가 있습니다.

저는 캠페인이란 이상을 실천으로 옮기는 행동이라고 생각합니다. 제가 가진 의지를 알리고 상대방도 이 의지에 동참하도록 설득하는 과정이 바로 캠페인이라고 생각해요.

저도 며칠 전 용기를 내어 캠페인에 참여해 보았습니다.

923 기후 행동의 날을 기념하여 등교하는 친구들을 맞이하며 채식 캠페인을 해 보았어요. 채식이란 고기류를 피하고 주로 채소, 과일 등을 먹지 않고 식물성 음식을 먹는 것입니다. 채식의 종류에는 플렉시테리언, 세미, 페스코, 락토 오보, 락토 그리고 마지막인 완전한 채식주의인 비건이 있습니다.

채식 식단이 환경에 좋은 이유는 매우 다양합니다. 우선 채식 식단은 온실가스 배출량을 감소시켜 기후변화를 줄일 수 있습니다. 또한 공장식 사육 방식 등 동물의 권리와 관련된 부정적 영향도 줄일 수 있어요. 이런 이유로, 저희는 환경을 지키기 위해 캠페인을 하였습니다.

동아리 친구들과 함께 피켓을 들고, 채식에 대한 설문조사를 하였습니다. 설문조사의 내용은, 채식에 대한 학생들의 인식을 살펴보고, 한 달에 한 번 학교 급식에서 채식 식단을 제공하는 것을 동의 혹은 반대하는

지를 알아보는 것이었습니다. 조사 결과 예상외로 반대 의견이 더 많았습니다. 저는 다른 학생들의 생각을 존중하지만, 학생들이 이 활동을 통해 채식에 관심을 가지게 되기를 바랍니다. 또한 채식을 모르는 사람들도 채식에 대해 더 많이 알 수 있었으면 좋겠습니다. 환경은 인류를 위한 공공재산입니다. 무분별하게 파괴하면 미래 세대뿐만 아니라 우리도 더 이상 살 수 없게 될 수도 있습니다. 이를 명심하세요!

패스트 패션으로 인한 환경오염 및 해결방안

김은빈

패스트 패션을 아시나요? 패스트 패션이란 생산부터 유통까지 소요 시간을 최소화하여 유행에 맞는 의류를 빠르게 공급하는 것을 말합니다.

환경신문에 따르면 패스트 패션은 대기뿐만 아니라 수질오염, 토양오염 등 다양한 문제를 일으킵니다. 첫 번째로, 합성 섬유인 폴리에스터 생산으로 발생한 이산화탄소로 인해 대기를 오염시키켜 온실가스 배출량을 급증하게 합니다. 두 번째로, 티셔츠 한 장을 생산하는데 2700리터의 물이 필요하고, 염색과정에서 일부 섬유업체는 관리비 절감을 위해 몰래 불법으로 방류해서 수질을 오염시킵니다. 그리고 마지막으로, 의류 폐기물들은 재활용이 되지 않아서 합성 섬유에서 발생하는 화학물질들이 토양과 지하수를 오염시킵니다.

이와 같이 우리가 구입한 옷들은 의류 폐기물이 되어서 환경오염에 막대한 영향을 끼칩니다. 그러면 환경 오염이 되지 않게 의류폐기물을 처리하는 방법에는 무엇이 있을까요?

첫째, 태워서 에너지자원으로 사용하는 것입니다. 재생 에너지 비율이 가장 높은 스웨덴에서는 의류 폐기물과 같은 일반쓰레기와 재활용 목재를 연료로 사용하여 에너지를 생산하고 있습니다.

둘째, 새로운 에너지 및 친환경 섬유 추출입니다. 일본의 한 기업에서는 의류 폐기물에서 바이오 에탄올을 추출하는 기술을 개발에 성공하여 전국에서 버려지는 의류 폐기물을 모아 세탁과 발효를 거쳐 바이오 에탄올을 만들 수 있다고 합니다. 1톤의 의류 폐기물에서 약 700L에 에탄올을 생산할 수 있다고 밝혔습니다. 그리고 핀란드 헬싱키의 한 대학교에서는 면과 폴리에스터가 혼용된 옷에서 면을 분해해 친환경 섬유를 만드는 기술과, 남은 폴리에스터를 이용해 친환경 섬유를 만드는 기술 또한 개발 중이라고 합니다.

셋째, 업사이클링. 새활용을 뜻하는 업사이클링으로 의류 폐기물을 옷, 가방 등으로 만드는 경우가 있습니다. 예를 들어, 119 REO라는 기업에서는 소방관을 지켜주고 생명을 구하는 옷인 방화복과 소방 호수를 업사이클링을 하여 가방, 액세서리 등으로 만들어진다고 합니다. 그리고 레코드라는 기업에서도 버려진 옷들을 잘라 서로 결합해서 새로운 옷을 만들기도 합니다.

우리는 지금까지 의류 폐기물로 인한 해결책과 함께 환경파괴에 대해 이야기해 보았습니다. 단지 저렴한 가격과 유행을 위해 구매한 제품들은 결국 쓰레기가 되어 환경에 부정적인 영향을 미치게 됩니다. 이를 줄이려면 자신이 원하는 것이 실제로 자신에게 실용적이고 유용한지를 고민하는 것이 중요합니다. 단순히 새롭고 아름다운 것을 추구하는 것을 넘어, 우리 모두가 환경을 의식하고 현명한 소비자 되기 위해 노력합시다.

왜 사막이 육지가 아닌 바다에 있을까?

이가연

사막 하면 무엇이 떠오르나요? 아마 대부분은 낙타, 선인장, 피라미드 등을 생각할 것입니다. 하지만 아름다운 바다도 사막이 되어가고 있다는 사실을 알고 있나요? 바다의 숲인 푸른 해조류는 사라지고, 하얀 석회 조류가 달라붙어 암반 지역이 하얗게 변하고 있습니다. 이 현상을 '바다 사막화 현상'이라고 부릅니다.

왜 바다 사막화 현상이 일어날까요? 그 이유는 바로 우리 인간에게 있습니다. 우리가 아무렇지 않게 버린 쓰레기로 맑은 바다가 오염되고, 자동차의 매연과 과도한 육식으로 지구 온난화가 진행되면서, 항상 웃고 있던 푸른 바다는 인간의 무분별한 행동으로 놀라서 하얗게 질려버렸습니다.

이렇게 바다 사막화 현상이 진행되면 바다뿐만 아니라 우리 인간에게도 영향을 미칩니다. 이산화탄소를 흡수하고, 산소를 방출하면서 수산자원의 먹이 역할을 하던 해조류가 사라지게 되면 지구의 생명도 얼마 남지 않게 됩니다. 그래서 결국 우리는 더 이상 형형색색의 바다를 보지 못하게 될 수도 있습니다.

우리는 이 바다 사막화 현상을 늦추도록 노력해야 합니다. 가장 좋은 방법은 해조류를 심는 것이지만 이것은 개인이 실천하기에는 버거운 일입니다. 하지만 플라스틱 사용 줄이기, 바다 쓰레기 줄이기와 같은 우리가 실천할 수 있는 일로도 바다 사막화 현상을 늦출 수 있습니다.

늦었다고 생각할 때가 가장 빠른 때라는 말이 있습니다. 지금부터라도 바다를 건강하게 지켜봅시다.

중학생의 비거니즘에 대한 인식 조사

유휘영

하루는 동아리 친구들과 함께 이런 저런 이야기를 하고 있었는데, 한 친구가 한 비건 단체의 채식 운동을 담은 영상을 보여주었습니다. 사전적 정의에 따르면 비건이란 '야채, 과일, 해초만 먹고 그 외에 육류, 어류, 달걀, 유제품 등 동물성 식품은 먹지 않는 엄격한 채식주의자'를 뜻합니다. 그 영상에서 비건 단체는 패밀리 레스토랑을 습격해 피켓을 들고 "지금 여러분이 먹고 있는 것은 고기가 아니라 생명입니다!"라고 외치고 있었습니다. 패밀리 레스토랑 직원들은 당황해서 이 사람들을 저지하느라 바쁘고, 손님들은 혼란스럽고 놀라서 혼돈의 도가니였습니다. 분명 심각한 상황인데도 우스꽝스러워 보이는 이 장면은 충격적이기도 했습니다. 그래서 우리는 영상을 보는 내내 모두 깔깔대고 웃었어요. 이 영상을 보고 나서 우리는 왜 우리 식습관에 대해 다시 생각해 보지 못하고 그저 웃었을까 생각해 보게 되었습니다. 그리고 비거니즘에 대한 우리의 생각을 나누어보았습니다. 다양한 의견이 나왔고 비건을 괴짜로 여기는 중학생들도 많다는 이야기도 나왔어요. 그러다 보니 다른 친구들은 이 문제에 대해 어떻게 생각하는지 궁금해졌습니다. 그리고 더 많은 친구들의 의견을 들어보기 위해 비거니즘에 대한 설문 조사를 계획하게 되었습니다.

설문지는 대한민국 광주 문산중학교 학생들을 대상으로 '구글 설문' 프로그램을 활용하여 조사했습니다. 그리고 96명의 학생들의 답변을 받았습니다.

다음은 질문과 설문 결과입니다.

첫 번째 질문은 "비건식단에 대해 어떻게 생각하나요?" 입니다.

비건 식단에 대해 어떻게 생각하나요?
응답 94개

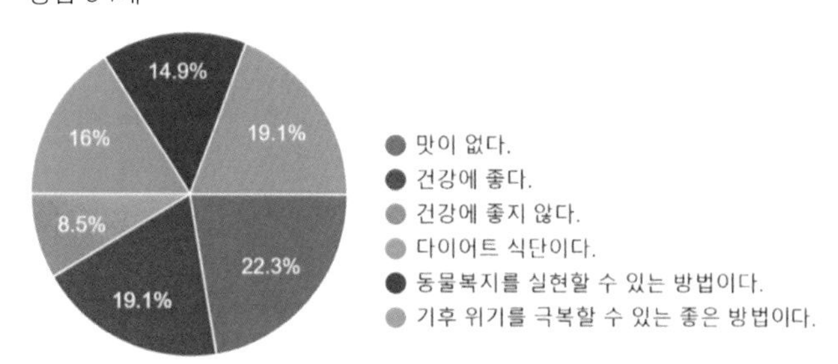

이 질문은 비건식에 대한 인식을 묻는 질문인데 가장 많은 비율을 차지하고 있는 답변은 '맛이 없다'였습니다. 학생들은 비건식 하면 샐러드, 콩고기, 버섯 등을 생각하기 때문에 맛이 없다고 생각하는 것 같았습니다.

두 번째 질문은 비건 식단을 시도해 볼 의향이 있나요? 입니다.

비건 식단을 시도해 볼 의향이 있나요?
응답 94개

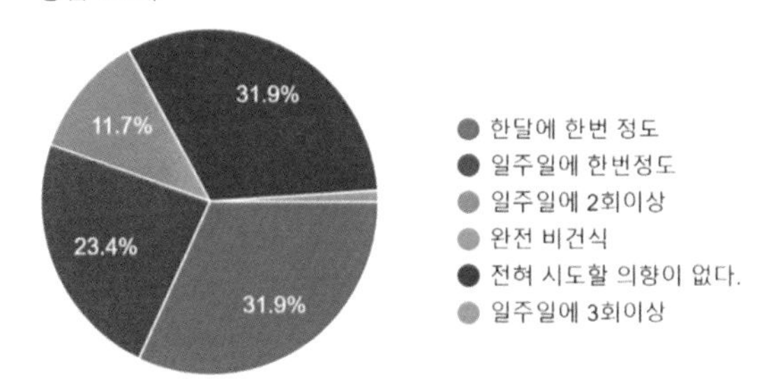

예상 밖으로 많은 학생들이 기회가 있다면 비건식을 시도할 생각이 있는 것처럼 보였습니다. 67%의 학생들이 적어도 한 달에 한 번 이상은 비건식을 해 볼 의향이 있다고 답했습니다. 물론 아무도 완전 비건식을 하겠다는 사람은 아무도 없었지만 말입니다.

추가로 비건식을 어렵게 하는 요인이 무엇이냐고 물었을 때, 35.4%의 학생들이 비건 식이 무엇인지 잘 모른다고 답했고, 23%는 비건 식당을 주변에서 찾을 수 없어서라고 답변했습니다. 17.7%는 친구 없이 혼자서 비건식을 하는 것은 어렵다고 답했습니다. 이것은 많은 사람들이 횟수에 차이는 있더라도 비건식을 시도할 의향은 가지고 있지만, 이를 시도할 상황이 적절하지 않다는 것을 말해줍니다.

마지막 질문은 “비건에 대한 영상이나 뉴스를 본 적이 있나요? 여러분이 본 영상에서 비건은 어떤 모습으로 비춰지고 있었나요?” 였습니다.

비건에 관한 영상이나 뉴스를 본적이 있나요?
여러분이 본 영상에서 비건은 어떤 모습으로 비춰지고 있었나요?
응답 94개

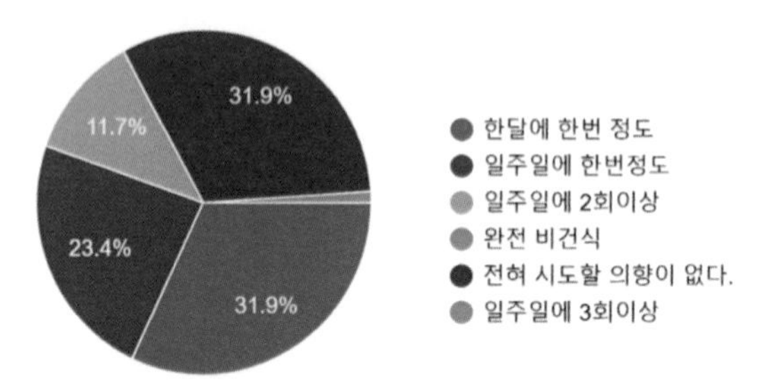

저는 이 질문에 대한 답이 가장 흥미로웠습니다. 왜냐하면 제 생각에는 환경에 대한 긍정적인 영향을 주는 비건에 대한 영상을 보았을 것 같았는데, 처음에 우리가 본 영상처럼 공격적이거나 극단적인 영상을 보았다는 학생들이 많았기 때문입니다.

비건에 대한 우리 학교 학생들의 의견을 조사한 결과, 비건 식단에 대한 다양한 입장과 생각을 확인할 수 있었습니다. 33%의 학생들이 '비건 식단을 시도해 볼 의향이 없다'고 응답한 결과는 비건 식단이 아직까지 학생들 사이에서 널리 받아들여지지 않았다는 것을 보여줍니다. 하지만, 적어도 한달에 한번 이상은 비건식을 해볼 의향이 있다고 답한 학생 67%는 비건 지향적 삶을 사는 플렉시테리언이 될 잠재력을 보여줍니다. 비건식에 대한 이해 부족과 비건 식당의 낮은 접근성이 비건식 확산을 위해 해결해야 할 숙제로 보입니다. 마지막으로 미디어에 대한 질문에서 '너무 공격적이거나 극단적이다'는 의견이 나온 것은 미디어가 비거니즘을 다루는 방식에 대한 학생들의 우려를 반영하며, 미디어가 비거니즘을 더욱 균형 있게 다루어야 함을 보여줍니다.

음료 회사에게 보내는 건의문

양예린

안녕하세요?

제품에 있는 시각장애우들을 위한 점자 라벨의 문제점을 개선해주시기를 청하며 이 편지를 보냅니다. 음료수 라벨에는 점자로 '음료'라고 간단히 적혀있습니다. '음료'라는 점자만으로 시각 장애우들이 상품을 구별하기는 어렵습니다.

라벨들을 좀 더 구체적이고 명확하게 표기해주십시오. 음료수의 라벨을 만들 때, 식품의 종류를 명시하는 것보다는 상표명을 표기하는 것이 더 나을 것 같습니다. 예를 들어, '음료'를 '감귤 주스'나 '포도 주스'로 표기하는 것은 어떨까요?

이렇게 개선하면 점자 사용자들과 시각장애인들이 상품을 훨씬 쉽고 편리하게 이용할 수 있을 것이고 자연스럽게 소비를 촉진시킬 수 있다고 생각합니다.

양예린 드림

4장

환경 프로젝트

환경 프로젝트

김나연, 노영은

1. 프로젝트의 서막

이 동아리는 사실 동아리라고 부르기에도 애매한 규모로 시작했습니다. 회원 단 세 명, 선생님 이렇게 넷이서. 모두 특별한 이유 없이, 선생님께서 좋은 분이라는 이유로 동아리에 지원했습니다. 우리가 환경에 처음부터 관심이 있었다기보다는 들어오니 환경 동아리였다는 표현이 더 맞는 것 같아요. 하지만, 선생님도, 친구도 모두 열정이 넘치는 사람들이었기 때문에, 동아리 시간마다 정말 즐겁고 신이 났습니다. 저는 여러 활동들을 하면서 이 동아리에 굉장한 자부심을 갖게 되었습니다. 이 1년간의 활동을 나누어 보도록 할께요.

동아리 첫 시간에, 영어 환경 동아리라는 소개를 받고 일 년 활동 계획을 짜면서 정말 고민이 많이 되었습니다. 환경을 생각해서 우리가 하는 활동이라면, 쓰레기 줍기나 대중교통 이용하기 같은 뻔한 생각들만 떠올랐기 때문입니다. 선생님께서는 그런 우리를 보며 아이디어를 툭 던져주셨습니다.

"중고 시장을 열어볼까?"

"중고 시장이요?"

우리는 눈을 반짝이며 소리쳤어요.

"좋아요! 재밌을 것 같아요."

선생님께서 물꼬를 터주시자 우리의 아이디어가 와르르 쏟아졌습니다.

"페트병을 가져오면 쿠폰을 주는 거 어때요?"

“그 페트병에다 꽃을 심어서 화분으로 만들어봐요!”

“물건을 가져오면 화분을 선물로 주자!”

우리는 우리가 앞으로 하게 될 활동들에 대해 신나게 떠들었습니다. 다음은 이 첫 회의로 우리가 정하게 된 프로젝트 활동 내용입니다.

중고 시장 계획서

1. 페트병을 3개 가져오면 중고 거래를 할 수 있는 쿠폰을 하나 준다.
2. 사람들이 가져온 페트병으로 화분을 만들어 식물을 심는다.
3. 중고 거래할 수 있는 물건을 가져온 아이에게 화분을 준다
4. 그리고 화분을 가져간 사람이 꽃을 피워온다면 선물을 준다.
5. 수집한 중고 거래 물품으로 중고 시장을 연다.

전체적인 틀을 잡게 된 우리는 페트병 수거 홍보에 돌입했습니다. 캐릭터를 직접 디자인해 포스터를 만들어 붙이고, 친구들에게 열심히 홍보했어요. 페트병은 잘 씻어서 라벨을 떼고 말린 것만 수거했습니다. 이것이 페트병 분리수거 방법이기 때문이었습니다. 우리의 진심이 통한 것인지 생각보다 훨씬 많은 학생들이 페트병을 가져왔습니다.

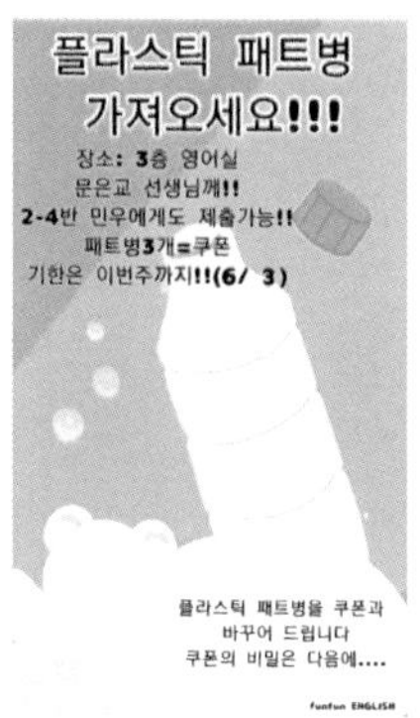

직접 제작한 그린 쿠폰과 포스터

2. 우리만의 작은 정원

우리는 전에 계획한 대로 페트병을 잘라 화분을 만들고 그 안에 씨앗을 심기로 했습니다. 우리가 선물을 주는 조건이 꽃을 피워오는 것이었기 때문에 꽃을 피우거나 열매를 맺을 수 있는 종류의 식물들을 골라 사기로 했습니다.

일단 나팔꽃! 제가 워낙 나팔꽃을 좋아했기 때문입니다. 그리고 예쁜 꽃을 가진 천인국, 유용하게 쓸 수 있는 열매가 열리는 수세미, 해를 따라 고개를 움직이는 해바라기 씨앗도 구했습니다.

어느 화창한 동아리 시간. 우리는 삽과 잘 자른 페트병 그리고 씨앗들을 가지고 밖으로 달려 나왔습니다. 질 좋은 토양을 큰 통에 붓고 꽃 심기 작업을 시작했어요. 작업은 적당량의 흙을 페트병에 채워 넣고 씨를 골라 심은 다음 소량의 흙을 덮어주는 것이었는데 같은 작업을 계속하다 보니 살짝 지루해지기도 했습니다. 하지만 나중에 피울 예쁜 꽃들을 상상하니 너무 설레고 무엇이든 할 수 있을 것만 같았습니다. 우리는 아자 아자 힘을 내서 페트병에 식물을 심는 것을 마무리했고 작은 화분들을 얻을 수 있었습니다. 일자로 나열된 화분들은 제 마음을 뿌듯하게 만들었어요.

화분들에 호스로 단비를 내려준 후, 우리는 남은 씨앗들을 어떻게 하면 좋을까 논의했습니다. 우리의 의견은 하나로 통일되었는데 학교 화

단에 우리만의 작은 정원을 만들자는 것이었습니다. 우리는 씨앗을 들고 화단 쪽으로 다가가 볕이 잘 드는 쪽에 해바라기, 담 쪽에 수세미, 그리고 그 옆에 나팔꽃도 심어주었습니다. 수세미와 나팔꽃은 넝쿨식물이기 때문입니다. 이런저런 일들을 마친 후 뻐근해진 허리를 세우고 고개를 들어 하늘을 바라보았습니다. 구름 한 점 없는 파란 하늘이 펼쳐져 있었습니다. 저는 우리 동아리가 저 하늘처럼 장애물 하나 없이 좋은 일만 가득하기를 기도했습니다.

가을에 수확한 수세미

3. 사부작 사부작 시장 준비

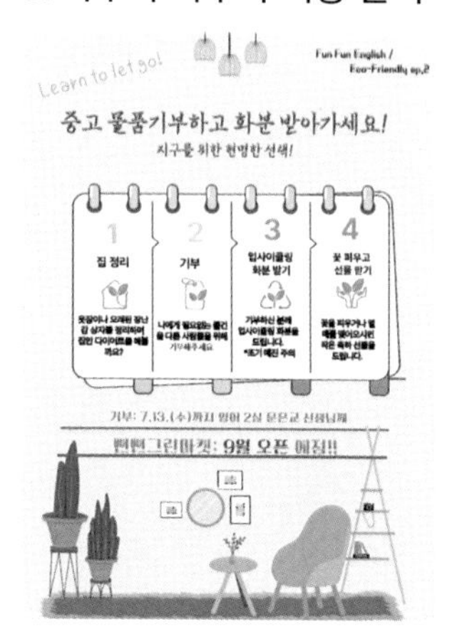

페트병 화분이 어느 정도 자라자 우리는 중고 시장의 취지에 알맞게 중고 물품들을 수집했습니다.

꽤 많은 물품이 들어왔지만, 아직 시장을 열기에는 충분하지 않았습니다.

"어? 선생님! 그건 뭐예요?"

우리가 이야기를 하고 있는 동안 선생님께서 무언가를 가져오셨습니다.

"와, 이건 책이네요?"

선생님은 중고 시장에 내놓으실 거라면서 중고 책을 내려놓으셨습니다. 중고 책 덕분에 약간 부족했던 물품의 양이 채워져 다행이었습니다.

그 후, 우리는 환경과 연관지어서 팔 수 있는 물건이 없는지 고민했습니다.

"양말목 공예 어때요?"

한 친구가 이런 의견을 내면서 분위기가 확 밝아졌습니다.

"그거 좋은 생각인데!"

"맞아요! 그리고 양말목으로 만든 제품은 업사이클링의 범주에 들어가니까 환경과도 연관이 있어요!"

속전속결로, 우리는 다양한 색깔의 양말목을 구입했습니다.

며칠 뒤, 기다리고 기다리던 양말목이 도착하고, 만들 물품들을 정했습니다.

"열쇠고리 어때요?"

"냄비 받침대나 컵 받침대도 좋을 것 같아요!"

"텀블러 보관함도 괜찮겠다."

그러나 만드는 데 시간이 너무 오래 걸렸습니다. 게다가 동아리 회원들의 시간도 넉넉하지 않았습니다. 고작 3명으로는 제시간에 끝낼 수 없을 것 같아서 도와 줄 친구들을 섭외했습니다. 친구들이 열심히 도와준 덕분에 양말목 공예를 질 좋고 빠르게 만들 수 있었습니다.

4. 펀펀 그린 마켓

드디어 대망의 중고 시장을 여는 날입니다. 우리는 우리 중고시장을 '펀펀 그린 마켓'이라고 이름붙였습니다. 펀펀 그린 마켓은 프리미엄 고객과 일반 고객으로 나누어 진행되었습니다. 여기서 프리미엄 고객이란, 사전에 공지했던 페트병 수집과 중고 물품 기부에 참여하여 쿠폰을 받은 고객들입니다. 프리미엄 고객은 중고 시장을 먼저 이용할 수 있는 우선권을 부여받습니다.

반대로 일반 고객은 사전 환경 활동에 참여하지 않고 행사 당일에 입구에서 환경서약서를 작성하고 쿠폰 한 장을 받은 고객들입니다. 고객들은 PC에 띄워 놓은 환경 서약서 링크[3]에 접속하여 인터넷으로 웹상에서 서약서를 작성하였습니다. 이 환경 서약서를 작성하지 않으면 입장이 불가능했기에 고객들은 환경 서약서를 열심히 작성해 주었습니다.

환경서약서 작성 중

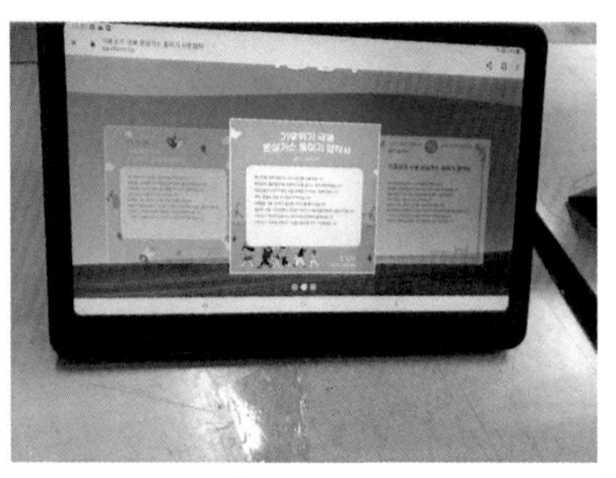
환경 서약서

그런데 환경서약서 항목 중에 '육식을 줄이자'라는 항목이 있었는데, 고객들이 이 문항을 꽤 어려워했습니다. 아무래도 단백질은 우리 몸에 반드시 필요한 주성분이고, 고기가 맛있는 음식이다 보니 그런 것 같다습니다. 그래서 너무 지키기 어려운 항목은 체크하지 않아도 된다고 했더니 고객들이 좀 더 수월하게 작성했습니다. 우리는 환경 서약서를 작성한 고객들에게 그것을 통해 느낀 점과 알게 된 점을 물어보았습니다.

"환경 서약서를 작성하니 환경에 대해 더 잘 알게 된 것 같아요."

"제가 환경을 위해 무엇을 해야 할지 윤곽이 잡힌 것 같아요."

---

3) https://sign4future.org/

이러한 긍정적인 반응들이 많이 나와서 뿌듯했습니다.

우리가 마련한 중고 시장은 문구류, 도서류, 게임 및 오락, 여행용 가방, 텀블러 같은 생활 용품, 그리고 제로 웨이스트 용품으로 분류하여 배치했습니다.

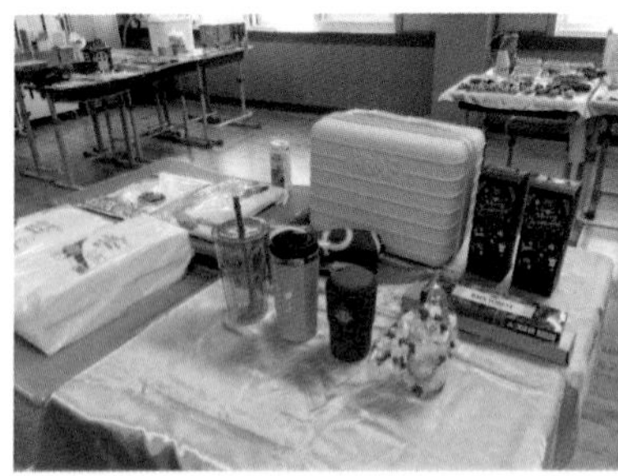
생활용품 매장

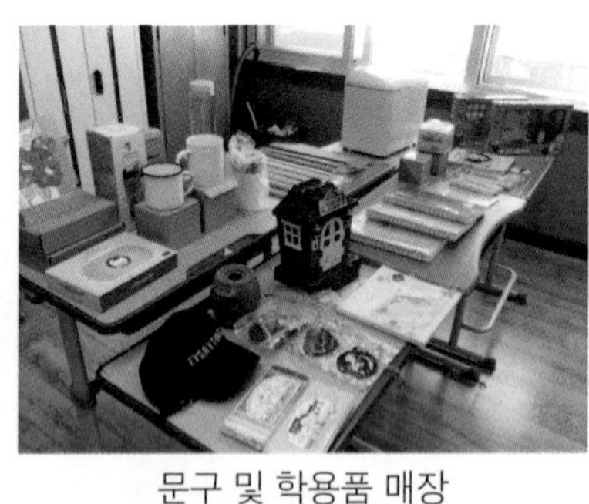
문구 및 학용품 매장

중고시장 고객들

제로 웨이스트 매장

이 중고 시장의 꽃이자 하이라이트는 제로 웨이스트 매장이었습니다. 우리 제로 웨이스트 매장에는 샴푸바, 고체 치약, 대나무 칫솔, 양말목으로 만든 여러 가지 물품, 실리콘 빨대, 직접 만든 라탄 공예품 등등 다양한 물품들이 있었습니다. 제로 웨이스트 샵 뒷 편에는 우리 지역에 있는 제로 웨이스트 샵 위치와 파는 물건 등의 내용을 담은 포스터를 붙였습니다. 그리고 학교 복도 곳곳에 제로 웨이스트 취지와 5R 운동에 대한 소개를 붙여놓았습니다.

그러나 우리가 붙여 놓은 소개 글은 학생들의 흥미를 끌지는 못했습니다. 학생들이 소개 글에 눈길 한번 주지 않고 지나쳐서, 이 방법이 실패한 한 것처럼 느껴졌습니다. 또한, 고객들이 대부분 중학생들이다 보니 제로 웨이스트 매장 보다 문구류나 게임, 다른 화려한 사치품 같은 품목들에 더 흥미를 보였습니다. 제로 웨이스트 매장에 관심을 가진 고객은 몇몇 선생님들뿐이었습니다. 우리가 가장 중점을 둔 곳이 인기가 없으니, 실망스럽고 기운이 빠졌습니다. 그래도 힘을 내서 제로 웨이스트 물건에 관심을 보인 고객들에게 열정적으로 설명하고 적극적으로 홍보하자 점점 더 많은 학생들이 몰려들었습니다. 그 덕분에 시간이 조금 걸리긴 했지만 제로웨이스트 코너에도 활기가 생겼습니다.

중고시장은 엄청난 흥행에 성공했습니다. 우리의 예상을 훨씬 뛰어넘는 많은 사람들이 관심을 보여주어서 점심 식사를 챙길 여유도 없을 지경이었습니다. 심지어 다시 열어 달라는 요청이 들어왔고 초반에 좀 처럼 인기가 없었던 제로웨이스트 매장도 뒤늦게 인기몰이를 하며 양말목 공예는 재주문까지 들어왔을 정도였습니다. 정말 뿌듯했고 이 기쁨과 성취감을 두고두고 회상하게 될 것 같습니다.

5. 플라스틱 정류장

앞서 말씀드린바와 같이 플라스틱 페트병을 가져오면 쿠폰을 주는 행사를 했습니다. 많은 학생들이 이 행사에 참여했고, 수거된 페트병을 잘라 화분으로 업사이클링을 하기도 했습니다. 그러다 보니 자연스럽게 형형색색의 병뚜껑이 남게 되었습니다. 그리고 어느 동아리 시간에, 우리는 플라스틱 뚜껑을 손에 든 채 '플라스틱 정류장'이라는 곳에 갔습니다. 플라스틱 정류장은 정말로 아름다운 구경거리가 많은 곳이었습니다. 처음에 이것들을 다 플라스틱 뚜껑으로 만들었다는 정류장 선생님의 말씀에 입이 떡 벌어졌습니다. 이런 쓰레기들로 이런 작품을 만들 수 있다니 참으로 놀라울 따름이었습니다. 작품들을 구경하고, 사진도 찍고, 짧은 강의도 들었습니다.

놀라워하는 우리를 보고 정류장 선생님께서 미소 지으며 체험해보지 않겠냐고 물으셨습니다. 우리는 당연히 좋아하며 하겠다고 했지요. 선생님께서는 우리가 체험할 수 있는 몇 가지 예시를 들으셨는데 키링, 피규어, 치약짜개 등이 있었습니다. 저는 고양이 치약짜개가 너무 귀여워서 치약짜개를 선택했고, 친구는 키링을 선택해서 체험해보기로 했습니다. 일단 뜨겁게 플라스틱을 녹이고, 틀에 담아 굳혀서 만들어내는 식으로 진행했는데 플라스틱 뚜껑의 색이 너무 예쁘게 나와서 나와 친구는 펄쩍 뛰며 좋아했습니다. 단체 사진을 찍고 나오는 길에, 버려진 물건들을 재활용하는 정류장 선생님에 대해 생각했습니다. '저런 분들이 계셔서 우리 지구가 아직 존재하는 게 아닐까' 하는 생각이 들었습니다. 선생님처럼 지구를 아끼는 마음으로 긍정적인 영향을 미치고 있는 사람들이 계시다는 것이 참 감사했습니다.

6. 양림 에너지 전환 마을 투어

동아리 행사를 진행하면서 영감을 얻고자 우리 지역에 있는 펭귄 마을이라고 불리는 '양림 에너지 전환 마을'의 투어에 참가했습니다. 이 마을은 자원 순환과 에너지 전환 사업에 깊은 관심을 갖고 노력을 기울이고 있습니다.

투어는 펭귄 마을의 역사를 배우는 것으로 시작했습니다. 펭귄 마을은 원래 쇠락하여 마을 사람들이 모두 이사를 가는 상태였다고 합니다. 어느날 예술가들이 이사하고 버리고 간 시계들과 쓰레기를 보고 예술작품을 만들기 시작하고, 벽에 벽화를 그리기 시작했습니다. 이 예술작품들은 다시 사람들을 매료시켰고, 마을 사람들이 다시 돌아오기 시작했습니다. 그리고 양림동은 많은 관광객이 찾는 명소가 되었습니다.

쓰레기로 만든 예술 작품을 보며 우리는 우리가 어떻게 사용하느냐에 따라 쓰레기도 예술품이 될 수 있다는 사실을 깨달았습니다. 쓰레기 조각상은 관광객에게 의미있을 것이라고 생각합니다. 많은 사람들이 이 마을에 대해 알고 주민들이 추구하는 가치를 깨달을 수 있으면 좋겠습니다.

또 인상적이었던 부분은 마을 곳곳에 있는 폐 우산함과 다섯 칸 짜리 재활용함입니다. 이 폐우산을 업사이클링한 앞치마와 클러치 백은 정말 놀라웠습니다.

이 마을에 다녀온 후 우리는 우리동네 공원에도 재활용함이 있으면 좋겠다는 생각을 했습니다. 그래서 플로깅을 하며 어디에 재활용함이 있으면 좋을지 조사하고 설치를 요청할 계획입니다. 함께 더 나은 동네를 만들어 나가면 좋겠습니다.

폐우산 수거함
폐우산 새활용

에필로그

김태희

1. 이 동아리에 어떻게 들어오게 되었나요?

저는 영어 글쓰기라는 새로운 방식으로 영어를 배워보고 싶어서 이 동아리에 들어오게 되었습니다. 글쓰기로 영어를 배워보니 재미있고 영어 실력도 늘었습니다.

2. 당신에게 환경이란 어떤 의미인가요?

예전에는 환경이란 그냥 우리가 살고 있는 지구의 상태라고 생각했습니다. 지금은 '우리의 생명줄', 혹은 늘 옆에 있을 거라고 당연하게 여겨서는 안 되는 제 '가족' 같은 존재라고 생각합니다.

3. 요즘 관심을 가지고 중점적으로 실천하고 있는 환경 활동은 무엇인가요?

비건 식단입니다. 저는 원래 고기만 좋아했습니다. 그런데 육식이 목초지를 위한 삼림 파괴, 가축에서 나오는 온실가스 배출, 그리고 분비물로 인한 수질 오염 등 환경에 악영향을 미치고 저한테도 좋지 않다는 것을 알게 된 후, 요즘은 최대한 비건 식단 위주로 먹으려고 노력합니다. 이렇게 간단한 방법으로 지구를 조금이라도 살릴 수 있어서 뿌듯합니다.

4. 이번 동아리 활동으로 깨달은 것은 무엇인가요?

글쓰기를 하니 언어의 색다른 즐거움을 알게 되었고, 여러 가지 환경과 관련된 아픔을 알게 되었습니다. 이 과정에서 환경에 대한 지식도 많이 늘게 되었습니다.

유휘영

1. 이 동아리에 어떻게 들어오게 되었나요?

선생님께서 환경 동아리를 들어오라고 초대해주셨고, 환경에도 관심이 생겨서 들어가게 되었습니다.

2. 당신에게 환경이란 어떤 의미인가요?

저에게 환경이란 우리 후손에게 꼭 물려주어야 할 소중한 유산이라고 생각합니다.

3. 요즘 관심을 가지고 중점적으로 실천하고 있는 환경 활동은 무엇인가요?

저는 식물을 키우는 것을 좋아합니다. 수경 재배기를 구매하여, 꾸준히 식물을 가꾸고 있습니다.

4. 이번 동아리 활동으로 깨달은 것은 무엇인가요?

환경 동아리 활동을 시작하고 난 후 환경에 대한 인식과 책임감이 커졌습니다. 꾸준히 식물을 가꾸면서 이산화탄소를 조금이라도 줄이려 노력했고, 가족들에게도 환경 보호의 중요성을 알리게 되는 좋은 계기가 되었습니다.

지연결

1. 이 동아리에 어떻게 들어오게 되었나요?

제가 이 동아리에 가입한 이유는 제가 식물을 가꾸는 것을 좋아하기 때문입니다. 친구가 이 동아리에서 부추, 상추나 가지 등 여러 가지 식물을 가꾸는 활동을 한다고 알려주어 바로 가입했습니다.

2. 당신에게 환경이란 어떤 의미인가요?

저에게 환경이란 우리에게 꼭 필요한 것이라고 생각합니다. 환경이 안 좋으면 여러 가지 문제들이 생겨 우리 삶에 부정적인 영향을 미치기 때문입니다. 좋은 환경은 꼭 필요하고 이를 지키는 것도 중요하다고 생각합니다.

3. 요즘 관심을 가지고 중점적으로 실천하고 있는 환경 활동은 무엇인가요?

제가 가장 열심히 실천하고 있는 환경 활동은 텃밭 가꾸기입니다. 제가 이 동아리에 들어온 처음부터 지금까지 빠짐없이 매일 식물에 물을 주고 있어요.

4. 이번 동아리 활동으로 깨달은 것은 무엇인가요?

처음 동아리에 들어왔을 때는 가벼운 마음으로 시작했습니다. 하지만, 플로깅과 쓰레기 맵핑, 환경 행사 등 다양한 동아리 활동을 하다보니 지금은 환경을 위해 무엇을 어떻게 실천할 수 있을까 고민해보는 것 같아요. 내 주위 환경에 관심이 높아져 쓰레기를 길거리에 버리지 말자는 캠페인을 하고 싶다는 생각이 들었습니다.

김은빈

1. 이 동아리에 어떻게 들어오게 되었나요?

집에서 식물을 많이 키우면서 환경에 관심을 가지게 되었고, 또 영어 글쓰기 활동으로 영어 실력을 키우고 싶어서 이 동아리에 가입하게 되었습니다.

2. 당신에게 환경이란 어떤 의미인가요?

저에게 환경이란 인간과 서로 도와주며 살아가는 존재인 것 같습니다. 왜냐하면 환경이 우리가 살아갈 수 있도록 도와주는 것처럼 우리도 환경을 위해 환경을 도와주며 살아가고 있기 때문입니다.

3. 요즘 관심을 가지고 중점적으로 실천하고 있는 환경 활동은 무엇인가요?

일회용품 사용 줄이기입니다. 전에는 일회용품을 많이 사용해서 일회용품 쓰레기가 많았지만, 동아리 활동을 시작하고 난 뒤, 집에서 일회용품을 줄이고 학교에서는 텀블러를 사용합니다. 조금이나마 환경에 도움이 되면 좋겠습니다.

4. 이번 동아리 활동으로 깨달은 것은 무엇인가요?

동아리 활동을 하고 난 뒤, 환경이 저에게 얼마나 중요한지 알게 되었고, 환경에 더 관심을 가져야겠다고 생각했습니다. 그리고 영어로 직접 책을 써보면서 영어 실력이 좀 더 좋아진 것 같고 여러 가지 활동들을 해서 재미있었습니다.

박주영

1. 이 동아리에 어떻게 들어오게 되었나요?

저는 친구가 이 동아리가 재미있다고 하는 말을 듣고 궁금해서 들어오게 되었습니다.

2. 당신에게 환경이란 어떤 의미인가요?

환경은 삶의 터전이라고 생각합니다. 그리고 환경 활동은 우리가 앞으로 살아갈 터전을 보존하는 하나의 방법이라고 생각합니다.

3. 요즘 관심을 가지고 중점적으로 실천하고 있는 환경 활동은 무엇인가요?

제가 최근 관심을 주고 있는 것은 플라스틱에 관한 것입니다. 왜냐하면 플라스틱이 현대 환경 오염의 원흉이며, 건강과 환경에 미치는 플라스틱의 영향이 전 세계적으로 크다고 생각하기 때문입니다.

4. 동아리 활동으로 깨달은 것은 무엇인가요?

제가 이 동아리 활동으로 새롭게 알게 된 것은 우리가 아는 것보다 환경오염이 전 세계적으로 훨씬 심각하다는 것이고 지금도 계속해서 급격하게 망가지고 있다는 것입니다. 환경을 더욱 적극적으로 아끼고 보존해야 한다는 생각을 하게되었습니다.

양예린

1. 이 책쓰기 활동에 어떻게 참여하게 되었나요?

플로깅에 참여했을 때, 선생님께서 환경 활동에 관한 글을 한번 써보는 것이 어떻겠냐고 제안을 주셔서 책쓰기 활동에 참여하게 되었습니다.

2. 당신에게 환경이란 어떤 의미인가요?

저에게 환경은 살아가는 공간으로, 삶을 살아가는 데에 가장 중요한 것 중 하나라고 생각합니다.

3. 요즘 관심을 가지고 중점적으로 실천하고 있는 환경 활동은 무엇인가요?

저는 플라스틱 병뚜껑을 새활용하여 키링이나 치약짜개등을 만드는 활동에 관심이 있습니다.

4. 책쓰기 활동을 하며 느낀 점은 무엇인가요?

저는 이 책쓰기 활동을 통해 주변 환경에 대해 더 주의를 기울이게 되었습니다. 또한 주변을 둘러보며 쓰레기 불법 투기의 심각성에 대해 알게 되어 사소한 행동이라도 실천해야겠다는 생각을 했습니다.

김나연

1. 이 동아리에 어떻게 들어오게 되었나요?

사실 특별한 생각 없이 들어왔습니다. 선생님이 다정하셨고 그 당시 동아리 이름이 'Fun Fun English' 였기 때문에 환경보다 영어에 초점을 두고 이 동아리를 선택했어요.

2. 당신에게 환경이란 어떤 의미인가요?

환경은 우리가 꼭 지켜야 하는 대상이라고 생각해요. 환경은 이미 많이 망가져 있어서 선택이 아니라 의무적으로 지켜야 한다고 생각합니다.

3. 요즘 관심을 가지고 중점적으로 실천하고 있는 환경 활동은 무엇인가요?

저는 일단 '재활용'과 '일회용품 많이 쓰지 않기'를 실천하고 있어요. 아무래도 환경 활동에 참여하다보니 쓰레기를 버리기 전에 '내가 이 쓰레기를 버린다면 이런 일이 일어날텐데……' 라고 생각하거나, 일회용품을 쓰기 전에 '꼭 이걸 써야 하는 상황일까?' 를 한 번 더 생각해 보게 되었어요.

4. 동아리 활동으로 깨달은 것은 무엇인가요?

사실 이 동아리에 들어오기 전에는 편한 것이 좋았고 내가 혼자 환경 활동을 실천해봤자 다른 사람들이 실천하지 않으면 아무 소용 없을 것이라고 생각했어요. 하지만 선생님과 친구들과 이 동아리에서 하나, 하나 실천해 보니 제가 하는 행동이 제 주변 사람들에게도 영향을 준다는 것을 깨달았어요. 지금은 '내가 해봤자' 보다는 '나라도!' 로 생각이 많이 바뀌었어요.

노영은

1. 이 동아리에 어떻게 들어오게 되었나요?

동아리 이름이 'fun fun English'라서 영어와 관련된 활동을 하는 곳인 줄 알고 가입했는데 알고 보니 환경 동아리였네요. 하하

2. 당신에게 환경이란 어떤 의미인가요?

제게 '환경'이란, 음, 자손에게 온전한 형태로 물려주어야 하는 유산 아닐까요? 나의 후손에게 파괴된 지구를 물려줄 수는 없으니까요. 그렇기 때문에 환경 보호가 중요하다고 생각해요.

3. 요즘 관심을 가지고 중점적으로 실천하고 있는 환경 활동은 무엇인가요?

바로 플라스틱 제품 사용 자제입니다. 바다 위에 플라스틱 섬이라는 것이 생겨날 만큼 사람들의 플라스틱 사용량은 매우 높습니다. 플라스틱은 잘 썩지도 않아 지구 환경에 크나큰 위협을 줄 뿐 아니라 해양 생물들에게 고통을 줄 수 있습니다. 따라서 저는 이러한 플라스틱의 사용 자제를 위해서 텀블러 생활화하기, 에코백 이용하기 등을 실천하고 있습니다.

4. 동아리 활동으로 깨달은 것은 무엇인가요?

지구 환경이라는 것이 대자연의 영역이라 바꾸기 어렵다고 하는 사람들이 많은데, 전혀 그렇지 않습니다. 사소한 행동만으로도 전 세계가 함께한다면 지구의 고통을 덜어 줄 수 있습니다. 아니, 덜어 주어야 합니다. 지구가 현재 이렇게 되어버린 것은 모두 인간의 책임입니다. 18세기

산업혁명 이후 석탄의 사용량 증가, 오늘날에는 플라스틱과 일회용 제품의 사용량 증가로 지구는 몸살을 앓고 있습니다. 석탄을 사용하는 사람이 누구입니까? 숨 쉬듯이 플라스틱을 사용하는 사람은 누구입니까? 바로 우리들입니다. 따라서, 지구 환경을 되살리는 것은 우리이어야만 합니다. 늦었다고 생각한 때가 가장 빠른 때입니다.

이가연

1. 이 책쓰기 활동에 어떻게 참여하게 되었나요?

이 환경 동아리 회원인 친구를 따라갔다가 프로필 일러스트를 그려 달라는 제안을 받았습니다. 이 작업이 환경에 좋은 일에 사용된다고 생각되어 함께 참여하게 되었습니다.

2. 당신에게 환경이란 어떤 의미인가요?

제가 살기 위해서 매우 필수적인 것이라고 생각합니다.

3. 요즘 관심을 가지고 중점적으로 실천하고 있는 환경 활동은 무엇인가요?

집에서 다양한 식물을 키우고 있습니다.

4. 책쓰기 활동을 하며 느낀 점은 무엇인가요?

환경에 대해 제가 몰랐던 점이나 잘못 알고 있던 점을 알 수 있게 되었습니다. 예를 들어, 지구가 생각보다 위태로운 상태라는 것을 인지하게 되었습니다. 또한, 친환경이라는 말에 숨겨진 기업의 위장환경주의도 알 수 있었습니다.

지도교사 문은교

우리가 사는 지구는 참 아름답습니다.

각자 자기만의 생각과 특징을 가진 생명체로 가득하기 때문이겠지요.

봄에 만나 함께 씨앗을 뿌린 아이들

햇살을 받아 푸릇 푸릇 싹을 틔우고, 하루 하루 몰라보게 자라나는 반짝이는 초록 잎 같은 아이들을 담고 싶었습니다.

각기 다른 모습으로 각자의 자리에서 열심히 살아가는 아이들은 나중에 어떤 꽃을 피울까요?

환경 활동에 있어서 만큼은 아무리 사소한 것이라도 혼자서 열심히 하는 것보다 부족하더라도 여럿이 함께 하는 것이 훨씬 효과가 크다는 의견에 동의합니다. 동아리를 운영하면서 학생들과 실시한 활동을 우리만의 추억으로 남겨놓는 것보다, 소소하더라도 다른 사람과 나누어 단 한 명의 마음이라도 움직일 수 있다면 충분히 도전해볼 가치가 있다고 생각했습니다.

이 책이 나오기까지 많은 도움을 받았습니다.

따뜻한 조언과 격려로 힘을 낼 수 있게 도움 주신 묘쌤, 여러 가지 환경 활동에 영감을 주셨던 많은 전문가님들과 활동가님들께 감사를 표합니다.

어린 활동가 한명 한명의 이야기가 여러분의 가슴에 닿아 푸릇푸릇한 싹을 틔우기를 바랍니다.

My Green Diary

Written by **Munsan Middle School Green Diary**
Directed by **Teacher Eunkyo Moon**

CONTENTS

Preface

When the spring sun shone upon us, we gathered together as members of the 'Fun Fun Green Diary,' club. Instead of meeting in the classroom, we first gathered out in a patch of field at school. We felt the soil and planted seeds.

At our second meeting, we harvested chives and cooked chive pancakes. We treated the teachers to them as well. At first, nobody knew what the chives are.

"Ms. Moon, what are they? Are they green onions?"

Because chives and green onions look similar, students often get confused. A big smile spread across my face whenever I look back on the moment when students harvested chives with scissors and paper cutters. Some students even pulled out the chives with their roots, even though chives are perennial plants.

Indeed, it was their first time experiencing gardening. It must have been a novel and unusual experience for them. Some students found it intriguing and decided to join our club after seeing their friends watering the lettuce.

Surrounded by concrete buildings and asphalt roads, we have gradually come to view soil as uncivilized dirt rather than recognizing it as Mother Earth that nurtures countless lives. As the world develops and our lives become more convenient, we have, strangely, drifted away from nature bit by bit.

The blind pursuit of development and convenience has led to the collapse of the natural order. Factories churn out vast amounts of products, resulting in a world filled with waste. Even the oceans, once teeming with vibrant marine life, have become more like huge landfills. Livestock, once considered part of our family and contributors to fertile soil, are now produced massively in factories to meet the high demand for food. Forests are disappearing rapidly, making way for towering buildings. Under this circumstance, sometimes humans are also treated as disposable tools, much like plastic that is discarded after single use. Consequently, we are now facing a serious global climate crisis.

Countless carbon footprints behind the shining development are leading to various problems such as extreme climate change, rising sea levels, and food shortages. The Climate Clock, which indicates how many years are left until we reach 1.5°C, warns us that we have less than 6 years left.

This book is a record of second graders in a middle school in Korea who tried to overcome the climate crisis. They are all different, but they gather together for ONE goal. Without the climate crisis, they would have lived their own ordinary lives. Now, they share their efforts to create a better environment.

In Part 1, they wrote about their favorite things. Through this, you can get a glimpse of teenagers' thoughts and daily lives, and how our lives would have been without this environmental issue.

Part 2 contains book reviews, which have become the foundation for the environmental activities they have undertaken.

In Part 3, various environmental activities are introduced, such as gardening, treasure hunts, plogging, trash mapping, picket challenges, and a survey on veganism.

Part 4 is the story of a-year-long project undertaken by the 2022 club members. Despite their small group size, their passion and abilities were remarkable. They were so talented that they planned the project during their first meeting and saw their dreams come true over the course of a year. Now, as experienced members, they are providing assistance and encouragement to new members these days.

Fifteen-year-olds

People say they are too young.

Yes, they are. But they muster up the courage to take action and share what they have been doing to overcome this critical environmental issue.

They are not perfect, but they raise their voices to invite more people to join the environmental action.

To reach more people, we wrote this book in English as well, even though it may not be perfect.

Just like a little baby taking its first step, these kids are also taking their great first step. They might stumble, but they will try again.

I'd like to invite you to this beautiful journey.

I hope you jump on this journey, too.

Not just for future generations, but for all of us!

At one Autumn night

Teacher **Eunkyo Moon**

Part 1

My favorite things

My Cuddly Toys

Yerin Yang

I'd like to talk about my favorite things. My favorite things are two cuddly toys, my soft friends.

One is Toto. Toto was my first friend. My mother bought me Toto when I was one year old. When I was young, I used to carry Toto. Whenever I had meals or went on a picnic. Toto was always with me. I have a lot of good memories with Toto, so I really cherished it.

The other is Yerin. Yerin is my another friend. My mother made me a tiger doll before I was born. So I named it Yerin, which is named after me. My mother stitched "Yerin" on its belly to show that it was made for me. I loved Yerin so much that I hugged it every night, and I still do sometimes. Yerin is the best gift that my mother made for me.

My old friends, Toto and Yerin gave me a lot of beautiful memories. Though I have many human friends now, I'll never forget the days when I played with my soft friends.

The Sky

Gayeon Lee

When I step outside and look up, there's something I love more than anything else. That's the sky. I'll explore why I love the sky and what significance it holds for me.

1. Today's Sky

The sky is a constant source of fascination because it changes every day. The shapes of the clouds, the colors of the sky, and the presence of stars always vary whether it's a clear and pristine sky, a sky where the sun sets, a starry night sky, or one with rain clouds. In summer, the way the sun sets is beautiful, and in winter, the twinkling starlight against the night sky is enchanting. I especially like the 6 o'-clock sky. When I am on my way home from an academy, the sky looks exceptionally beautiful. How does the sky look today?

2. Mother's Embrace

The sky is like mother's warm embrace that opens and closes the day. Looking up at the sky, even once a day, allows me to momentarily escape the chaos of the busy life under the sky and find tranquility. That's one of the reasons why I love the sky. Whenever I gaze at the sky, I only feel better. It becomes a source of encouragement at the start of the day and a source of comfort at the day's end. The sky embraces everyone in the world.

3. Everyone's Sky

In this way, the sky is a place of blue serenity for me and all of us, for it never ceases to amaze with its beauty, even when seen daily. Moreover, it offers solace in our times of difficulty. For those of you living in the busy modern world, how about stepping outside right now, raising your head, and gazing at the sky? Taking a moment to appreciate the sky and savoring a little tranquility is perfectly fine.

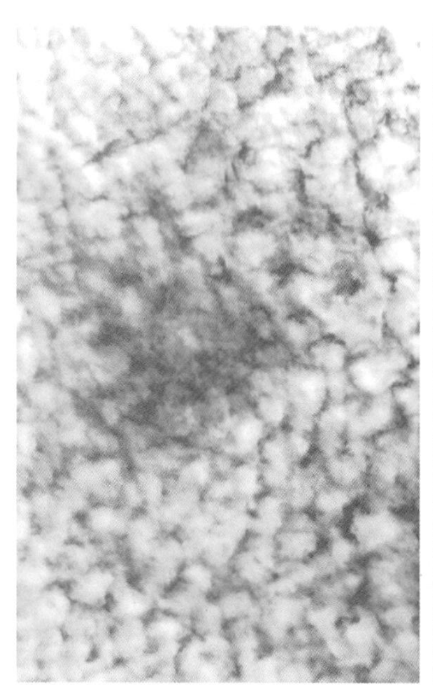

A Chess board, the oldest thing I have

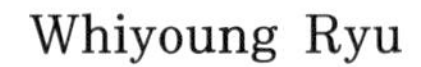

Whiyoung Ryu

Have you played chess before? Chess is one of the most popular strategy games worldwide.

Chessboard is a board consisting of 64 squares. While playing chess, each player aims to capture the opponent's pieces with 16 pieces while trying to checkmate the opponent's king to win the game.

The oldest thing I have is a chessboard and I love it very much. I started playing chess in the second grade of elementary school. The chessboard that I got back then is the same one I have now.

Playing chess has become my favorite hobby because I am excited and happy when I play it. The more I play chess, the more interested I become. Sometimes chess served as a refuge for me when I feel tired of studying.

I am grateful for the chessboard that I have had for seven years. I encourage everyone to try playing chess.

Studying

Taehee Kim

Hello! My name is Kim Tae Hee. I am 15 years old and my favorite time of the day is study time.

Do you like studying? I enjoy studying. When I study, I feel calm. Everything becomes quiet and peaceful and I can enter my own world that no one can touch or interrupt. I love that peaceful moment.

Studying hard has many advantages. First, I can choose a career path that suits my interests and pursue my dream job. Second, I can help others when they have difficulty in solving some problems. Helping others make me feel proud of myself. For example, a friend of mine once asked me something about math and I taught how to solve the question. I still can′t forget the pride I felt from helping others. I felt that I′m a useful person. No matter how much I study, I feel happy and good that I can help others. Now, I want to become a teacher. Thank you for reading my post so far, and I hope you all study hard. Bye!

My Dream

Eunbin Kim

Hi! I'm Eunbin. I'll introduce you what I like. I'm happy when I draw. I especially like to draw clothes, objects, and characters. I find it interesting to sketch and observe something.

When I first started to draw, I drew just because because I liked it. Drawing is my own way to express my feelings or new experiences. However, it has become an important thing in deciding my career path. When I was in sixth grade, I took an entrance test for an art middle school. Unfortunately I failed and I was disappointed. But I didn't give up drawing. I want to give hope to people who are struggling through my paintings.

Like this, drawing is my favorite thing to do. I will continue to draw and try hard to draw a picture that gives hope to people.

A Red Panda Neck pillow

Yeongeol Ji

Hi, my name is Yeongeol. I'd like to introduce my favorite thing to you. It is a red panda neck pillow. It looks like a red panda and is very soft. I bought it at a souvenir shop in Everland, one of Korea's famous amusement parks.

Actually, at that moment, I was feeling down and wanted to go home because I'm not a fan of rides. However, I came across this pillow. The cute red panda made me feel much better right away.

If you're still wondering why it's my favorite thing, here's my answer. Since I often look down at my smartphone, I often experience neck pain. But when I use this pillow, my neck pain disappears.

The red panda pillow is my precious item.

Doing exercises is my life

Juyoung Park

I love exercising because it helps me improve my overall health. It also motivates me to keep a regular daily routine. Among all exercises, pull-ups are my favorite. Ever since I discovered this workout, my interest in exercising has grown, and now I genuinely enjoy the process. How about you? Do you also enjoy exercising?

Books

Youngeun Rho

My favorite thing is reading. I started to like reading when I was 9 years old. I was fascinated by reading after reading a novel.

Reading appeals me for many reasons. First of all, reading makes me feel comfortable. Reading is helpful to get rid of anxiety. Meditation, or day dreaming is also helpful, but I like reading the most. In addition, reading is an invitation to a mysterious world that is different from where I live. When I read about a world created by an artist, I am immersed into the world without realizing it. In the world, I can indirectly live a life of a character in the book. Besides, reading also helps develop reading comprehension and literacy. In other words, it helps you study well. I get excellent grades in school. It is because I study hard, but I think it's also because I've been reading steadily since I was young. To cope with the increasingly challenging exam questions, it is essential to have strong reading comprehension skills to analyze the questions. I recommend easy and interesting reading as a way to develop this reading ability. Lastly, reading is good for killing some time when it's boring. When I read, two to three hours pass by in no time. It's a good hobby, too.

There are people who find reading difficult. If you find it difficult and boring, I recommend following methods. First, find your favorite genre and read books of that genre. If it's your favorite genre, you'll enjoy reading the book. Second, if you're new to reading, start with a fairy tale book with little words. Among those who find it difficult to read, The main reason that some people have difficulty in reading is that the book is too lengthy and has too much text. Therefore, if you read fairy tales that have relatively less text, you will be able to develop your ability to read.

In summary, I love reading for various reasons. I hope you also enjoy reading.

Part 2

Standing on the Shoulders of Giants

– Issac Newton

What is responsibility?

Book review on 'Blue Sky, Red Earth'

Gayeon Lee

'Blue Sky, Red Earth' was a thought-provoking book for me. The book's unique cover design and the contrasting words in the title immediately caught my attention. As I delved into the book, I found that it provided valuable insights into our planet's current situation and the responsibilities we hold. Let me tell you the insights that crossed my mind while reading the book.

Firstly, the book emphasizes that nature didn't come to humans; instead, humans entered nature. It highlights how nature had thrived for thousands of years without human interference and how humans have harmed it rapidly after they showed up in nature. This made me realize that we've intruded into the well-functioning natural world and have a significant responsibility for the damage we've caused. Especially alarming is the fact that over 100 species are becoming extinct every year. Once a species is gone, it cannot be brought back, which further underscores our responsibility.

Secondly, the book underscores the idea that the future is not something given but something we create. It suggests that the future isn't predetermined but is something we shape through our actions. This realization made me understand that we, as humans, have a significant responsibility in shaping the future, and even our smallest actions matter.

Thirdly, the book addresses the harmful impact of climate change denial. Climate change deniers argue that humans are not responsible for climate change and that we can simply adapt to it. This stance is detrimental to the environment, as it hinders meaningful action and exacerbates environmental destruction. It's frustrating to see people denying the issue rather than acknowledging and addressing it.

Lastly, the book emphasizes that everyone must take responsibility for the environment. It made me rethink my previous belief that there's still plenty of time to address environmental issues. I now understand the need for individual responsibility. I've realized that even small actions matter, and if we wish to live under a clear blue sky we desire, we must take responsibility ourselves, rather than shifting it to someone else.

A book about Environment

'Environmentally and Ecologically Savvy Teenagers'

Taehee Kim

Are you aware that the environment is in danger? People are destroying the environment. If we continue living like this, there is a possibility that we won't be able to live on Earth for another 100 years. Can you feel how serious the situation is?

The book '환경과 생태 쫌 아는 10대', or 'Environmentally and Ecologically Savvy Teenagers', by Wonhyung Choi deals with the various problems related to environment. I will share my thoughts about them with you. I want you to read this book and realize the seriousness of the situation.

So, let me tell you about this book. Above all, the most memorable part of this book is about the sea. You must be well aware of how beautiful the sea is. When I hear the word, sea, it reminds me of the sight of the clear blue water and the colorful swimming fish just like in a fairy tale, The Little Mermaid. Doesn't it sound peaceful and beautiful? However, there is a hidden truth that the sea is dying. For example, plastic has been found in the deepest part of the ocean such as Mariana Trench! The Mariana Trench is the deepest seabed in the world, extending 2,550km south-northeast from the east of the Northern Mariana Islands in the Pacific Ocean. If plastic has been found that deep, how much plastic must be in the ocean?

Creatures living under the sea mistake that plastics are food and eat them. For example, one day, a dead whale washed up on a beach. Whale's stomach contained various plastics. Even the fish that we eat are affected. What do you think is the cause of this? The problem is us. We are destroying the sea and even ourselves.

We must take action right now to change this situation. Environmental problems are not limited to the sea and we need to deal with them proactively. For example, every time we buy a plastic bottle, we should think about the fact that the environment is dying. Instead of using disposable plastic bottles or cups, why don't we use reusable tumblers?

In the end, I think that damaging the environment is damaging ourselves. Think of taking care of the environment as taking care of yourself.

Then the healthy environment will come back to us again, and we can also live happily ever after just like a fairy tale.

Book Review on 'Because We are Not Disposable'

Juyoung Park

Author Goh Geum-sook's '우린 일회용이 아니니까', or 'We are not Disposable' primarily discusses the topic of reducing plastic use. The author states that "Living without plastic is currently impossible." The situation may seem hopeless, but the author has chosen to reduce plastic use little by little, instead of completely eliminating it.

Let's take plastic straws for an example. In the past, people used to reuse plastic straws multiple times before discarding them. But now we are disposed of them after using them just once. This situation has worsened environmental problems. However, living without plastic straws can be inconvenient. Therefore, the author recommends using stainless steel straws. The biggest benefit of these stainless steel straws is that it doesn't generate waste. However, the downside is that it can be inconvenient to wash them every time. Furthermore, the reusable straws may be less hygienic. This is why people are hesitant to use them.

Another way to reduce plastic is solid toothpaste. After reading this book, I bought bamboo toothbrushes and solid toothpaste at Zero Waste Shop and started to use them. Solid toothpaste looks like a candy, but it tastes like toothpaste when you chew it. If you chew it and brush your teeth, it will create bubbles and act just like toothpaste. The good thing about using solid toothpaste is that you may not use the tube that comes out when you use toothpaste. But there is also a downside. It cannot be kept for a long time so you have to use them as soon as possible. Also, if you don't wash away properly, the grains of toothpaste can get stuck in the teeth, leaving a bitter taste.

Lastly, people enjoy delivery food these days. When we order food, it comes with disposable spoons or chopsticks. When ordering, we can refuse to receive disposable spoons or chopsticks by checking on the delivery apps or telling the restaurant that we don't need them. If possible, let's use the stainless steel spoon and chopsticks we have at home.

We have looked at ways to reduce plastic in our daily lives so far. While writing this, I looked back on my daily lives.

Looking back, it seems that I have never done any good deeds to protect the environment, except for the times when I am in this environmental club. So, I want to make small habits for the environment. The suggestions I made might sound annoying and hard to put into practice. To be honest with you, I also have strong temptation to ignore them because it is inconvenient and irritating. I am too lazy to to do that.

But wouldn't it be good to try for a better tomorrow? Each of these little actions can change our future.

And I am taking my first step toward it.

Book Review on 'The Great Animal Trial'

Whiyoung Ryu

The book '동물들의 위대한 법정', or 'The Great Animal Trial' revolves around a human judge and various animals standing in a courtroom, defending themselves and explaining why they deserve protection.

Among the various animals in the book, I found the stories of the bristleworm and the viper snake to be the most impressive and intriguing.

First, let′s listen to the story of the bristleworm.

"Humans always urgently seek blood transfusions. Wars, diseases, crimes, accidents, it never ends. My blood is very special. It can be transfused to anyone."

Upon reading this story, I was amazed and fascinated by the ability of bristleworms to provide blood that can be transfused to humans. However, it wasn′t entirely positive. I couldn′t help but worry that bristleworms might have perished due to the human′s high demand for their blood. I also considered the possibility of habitat destruction during the process of capturing bristleworms. Therefore, I felt that efforts should be made to protect bristleworms while minimizing environmental damage.

Now, let′s move on to the story of the viper snake. The viper snake says,

″We have coexisted peacefully for over a century. Everything changed after World War II. People began flocking to my home, the Cordarje region. Skiers, tourists, they all invaded where I live. Roads were constructed, parking lots were created, and they even organized hugely popular mountain biking races in the middle of the Alps.″

Listening to this story, I realized that we are recklessly destroying the habitats of animals like viper snakes. Despite efforts such as ″restoration plans″ and ″national action plans″ to protect them, herpetologists are predicting that viper snakes will become extinct within the next 30 to 40 years. This made me feel that our efforts to protect nature are far from sufficient.

This book "The Great Animal Trials" is a great piece that prompts me to reconsider human's role regarding animals and the environment. The stories of various animals have made me think over the relationship between humans and animals, as well as the importance of environmental conservation. The relationship between human beings and animals has not been equal. Humans have exploited animals for our own benefit, destroying their habitats and ultimately driving some species to extinction. At the end of the book, the animals said,

"We shall fall silent once again. With cries and songs, with sharp sounds and whispers. …… Now it is your turn to speak."

Although we cannot guarantee our future, I believe that we should answer to the cries and songs to the animals. We must minimize environmental destruction. We should make efforts right now before it is too late.

Book Review on 'Help me, Dr. Climate!'

Eunbin Kim

The book '도와줘요, 기후박사!', or 'Help me, Dr. Climate!', written by Dr. Kim, discusses the causes and effects of climate catastrophes such as the unusual weather patterns we are currently experiencing, as well as what we can do in response to this crisis.

Firstly, the term 'climate crisis' describes a scenario in which climate change poses catastrophic hazards to human civilization, including extreme weather events, water and food shortages, ocean acidification, rising sea levels, and ecosystem collapse.

Nowadays, glaciers in the Arctic are shrinking as temperatures in the Arctic Circle rise due to the worsening climate crisis. During winter, there is a distinct cold brought about by the southward movement of cold air from the Arctic Circle. The high temperatures in the western part of the nation, which have tragically resulted in the loss of over 720 lives, can also be attributed to this phenomenon. Furthermore, the coral bleached as the sea temperature increased.

There are three possible outcomes of this dramatic climate change. The first is the disruption of the Gulf Stream. If the Gulf Stream is prevented from moving northward, Europe could experience an ice age as a result of global warming. The second outcome is the destruction of the Amazon rainforest. When carbon dioxide levels rise, plants in the Amazon rainforest tend to keep their stomata closed for extended periods, naturally reducing evaporation and decreasing rainfall. Finally, the release of significant amounts of methane into the atmosphere from frozen soil and the seafloor can accelerate global warming.

As a result, the current climate crisis is becoming more severe, and various efforts are being made to address the issue. These efforts include using locally grown food to reduce carbon footprints, reflecting the sun's rays artificially to reduce temperatures, and using solar radiation control technology (SRM) and carbon dioxide removal (CDR) to reduce the amount of greenhouse gases in the atmosphere.

So far, we have discussed the issues related to the climate disaster and people's efforts to address it. After reading this book, I came to the realization that a greater number of animals are affected by the climate catastrophe than I had previously understood, and I became aware of the severity of the situation. To prevent further suffering of animals due to climate change, it is important for us to prioritize environmental care and take action. Simple actions such as using public transportation or turning off lights can contribute to mitigating the crisis. Let's start taking small steps for the environment right now!

Book Review on 'Saving the Earth by Following the Oxygen Footprints'

Yeongeol Ji

'산소발자국을 따라서 지구 지키기', or 'Saving the Earth by Following the Oxygen Footprints' is a book co-authored by 13 students from Daegu Science High School's environmental club, along with their Korean language teacher. This book was created through the shared interest of the environmental club members in environmental issues. It is divided into six chapters.

The first chapter introduces books that deal with environmental issues, and one of them, 'Beyond beef' caught my interest. At first, I didn't know how meat consumption and the environment were related. But livestock farming, necessary for meat production, contributes to global warming. We destroy forests to create pastures and plant crops such as corn or soybeans for feed. When cows burp or fart, they release a gas called methane which is very bad for the environment and contributes to global warming. This made me realize the unexpected connection between meat consumption and the environment. Similarly, everyday actions like brushing our teeth or using air conditioning, often taken for granted, are closely linked to environmental impact.

The most memorable part for me was in the fourth section, 'Moving Forward.' In this section, the book talks about zero-waste shops and stores that recycle unwanted items, making them usable in daily life. I found the concept of a zero-waste café fascinating, where you need to bring your own container for takeout. The chairs in the café are made from recycled food containers and the straws are made from rice, so there is no need for plastic. It truly demonstrates how zero-waste practices work in real life.

The book also includes a section on eco-friendly products, offering practical tips on making beeswax wraps, DIY milk carton piggy banks, and more.

This book has provided me with valuable insights into how to effectively address and contribute to environmental issues. I had always thought that only exceptionally imaginative and skilled writers could write books, so I was amazed to learn that students had written this book. I also realized that each of us can do something to address environmental issues, no matter how small we are.

Part 3

We are not too small to make a difference!

Resting place to the Earth

Taehee Kim

Hello, everyone!

My name is Taehee Kim.

Now, I am going to tell you one of the activities of our club, 'Fun Fun Green Diary'.

One day, our club members visited one of the zero waste shops in our town. Zero waste shop is a place that sells products that do not generate any waste. There were a lot of interesting things there, so I was really excited! Now I'll tell you what happened at the zero waste shop!

Among so many eco-friendly products, the thing that caught my eyes most were little notebooks made from elephant dung. Actually, I thought they were dirty and smelly, but they weren't. They are just eco-friendly products! I think it's good because paper was made without causing any harm to trees or forest. What a great idea!

Also, there were products that were sold without packaging. One example is tea leaves without tea bags. It was good to taste the natural flavor of tea without tea bags! Moreover, if you brought your own container you could buy shampoo without a container. For those who forget to bring their container, used plastic bottles are provided,

I bought shampoo, tea leaves without tea bags, and a silicone straw. I felt proud because I was not harming nature by purchasing eco-friendly products. Why don't you drop by one of the zero waste shops in your town. You won't regret it!

Small things to save the Earth

Taehee Kim

Did you hear about silicone straws? They are eco-friendly straws. Why are they eco-friendly? Because silicone straws are non-toxic, they do not harm the human body. Besides they can be reused multiple times, reducing waste and causing less harm to the environment.

Even so, why do people use plastic straws more often than these good straws? It is because some people don't care about the environment and only care about their own convenience. However, using plastic straws has various disadvantage.

First, plastic straws do not decompose easily. Plastic can accumulate on the ground and create a garbage island in the ocean. The plastics that is thrown away like this can turn in to microplastics, which end up even in the water and food we consume.

Secondly, plastic straws are harmful to your body because plastic is made of chemicals and can contain endocrine disruptors and carcinogens. Given this, would you still use plastic straws? How about carrying a lightweight and portable silicone straw in your bag instead?

My First Plogging Experience

Yerin Yang

Have you ever heard about Plogging? Plogging is a combination of jogging and 'plocka upp', which means 'pick up' in Swedish. I did plogging and trash mapping at the same time with my school's club members and teachers. I'll tell you about this experience.

I started picking up trash from our school to the entrance of Samgaksan, which is the small hill around our school. It seemed that the trash issue wasn't as severe as I had initially thought. There was a trash bag at the park so passengers throw their trash in the bag. However, there were also some dangerous items, such as broken umbrellas, pipes, and even shattered glass bottles. They seemed to require caution, as they could easily cause injury.

After the plogging was finished, I looked at the road map we made. Then I noticed that most of the trash consist of cigarette butts and food packaging. The first thing that needed addressing was cigarette butts. My initial thought was that it might be a good idea to place ashtrays along the streets. If so, it would make it easier to clean up and improve the aesthetics of the area. Additionally, I believed that it might be more practical to inform where the trash bins are located rather than install more trash cans on the street.

While plogging, I hope that more alternatives will emerge to address the issue of unauthorized littering, Also I hope for the day when many people become interested in the trash problem through plogging and create significant results.

The Event for the Environment Day

Eunbin Kim

On Environment Day, our club 'Fun Fun Green Diary' planned a treasure hunt and treasure map completion for all students.

The treasure hunt event consisted of two main activities. One was to complete a treasure map by finding and taking pictures of designated flowers. The other was to take pictures of various kinds of plants at school. I was in charge of making a poster to promote the event so that many students could participate in these activities.

When I first made the poster, I thought it would be okay and fun. However, as the plan changed, I had to revise the poster again and again. I was worried about whether this poster attract many students or not. Fortunately, however, on that day, seeing many children participating in the event, I finally became relieved. It was fun to see many of them join the program after seeing the poster I made.

Also, while searching for treasure, I realized that various plants were sharing the space in our school. When I didn't know the name of the plant, it was just a ordinary flower. But surprisingly after knowing the name, I became interested in the plants. After the event, I started to grow some flowers and planted lemon trees at home.

It was good to know various plants while participating in the event, and it was fun to draw them as well. While I was drawing plants I dreamt of making a plant guide book.

It was fortunate that everything went smoothly for the event as we had planned. I learned a lot and gained valuable experiences while preparing for and participating in the event. I realize the importance of maintaining my interest in plants and actively engaging in small actions to help the environment. I am determined to continue practicing even the smallest things that I can do to make a positive impact on the environment.

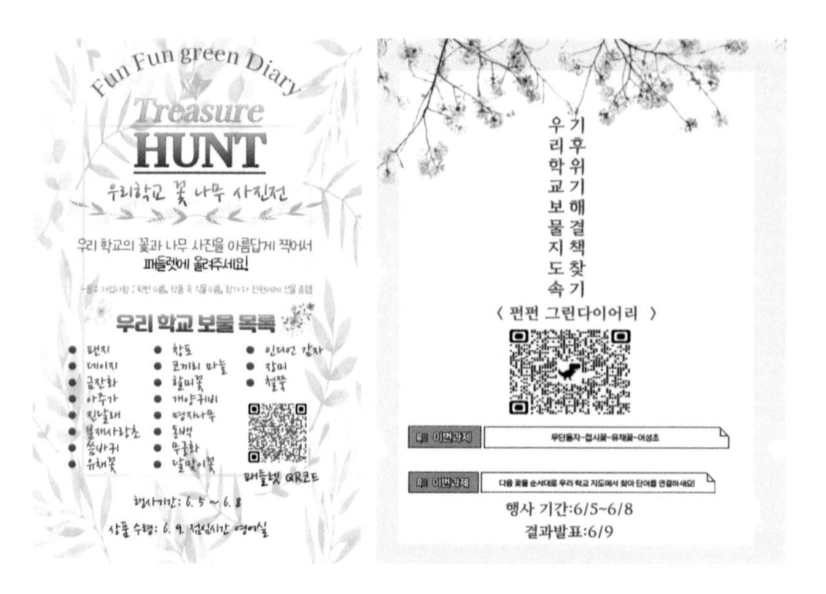

Treasure Hunt

Yeongeol Ji

In May, all the members of our club gathered together to prepare the event for 'Environment Day. Since we still had 3 weeks until June 5th, Environment Day, we discussed and exchanged ideas on what to do.

At that time, a friend suggested a 'Treasure Hunt.' We thought it was a great idea and discussed it in more detail. We considered the flowers and trees in our school as treasures. So, we decided to organize a photo exhibition of the flowers and trees in our school and create a treasure map to find solutions for climate change.

The photo exhibition of flowers and trees in our school is an event where students take pictures of the treasures, which are flowers, or trees in our school, and upload them to a platform. All of the participants can get small gifts. The purpose of this activity is to encourage students to explore and appreciate the beautiful nature they may have overlooked in their daily lives.

The activity of completing the treasure map to find a solution to climate change is a game-like activity. We provide predetermined flower photos and treasure map. Students have to find where those flowers are located on the treasure map and connect the given letters matched up with the flowers in order to find the answer. The purpose of this activity is to raise awareness about the concept of "Net zero," which is the answer. while having fun with a sense of being adventurous treasure hunters,

To carry out these two events, we allocated roles to each member. Roles are creating hint cards for the treasure hunt, designing promotional posters, selecting and distributing prizes, and elaborating the details of event.

My role was to create the hint cards needed for the treasure map. I took pictures of trees and flowers and shared them in our club group chat. Other club members with the same role explored every nook and cranny of the school to take pictures of plants. For plants whose names we didn′t know, we uploaded the pictures on the website to get their names and stories.

It was quite challenging because my friends played pranks whenever I tried to take photos. I doubted whether we would be able to hold this event successfully for ourselves.

However, the event for Environment day turned out successful. Seeing the students participating in the event wandering around the school, taking pictures of flowers and trees, and uploading them with creative expressions on the platform, I felt that we made the right decision to plan this event.

Above all, the reason for hosting this event was to foster ecological awareness among students. I hope that through this activity, many of the students enjoyed beautiful nature. I hope you find this story helpful!

할미꽃 (3701 김그린)—예시

예쁜꽃이 지고 나면 할머니처럼 머리가 새하얗게 변합니다.

흰머리마저 고상하고 아름답네요.

2520정인서 어성초

나팔처럼 생기기도했고 흰색에 아름다운꽃이였다

팬지(2508김태희)

꽃들이 예쁘게 피었어요 예쁜꽃들을 보니 힐링이 되네요!

A Campaign for All of Us

Taehee Kim, Eunbin Kim

It's not easy to engage in campaign activities in front of many people, isn't it? However, once you do it, it may not be as embarrassing and difficult as you initially thought. If the campaign is for everyone including me, it's worth embracing the challenge, even if it's a little awkward or embarrassing.

In my opinion, campaigning is an action that translates ideals into action. I believe that a campaign is a process of expressing my intentions, making them known to others, and persuading others to join.

A few days ago, I mustered up the courage to participate in a campaign. In commemoration of the 923 Climate Action Day, I organized a vegetarian campaign in front of the school gate in the morning.

Being vegetarian means avoiding meat and primarily consuming plant-based foods, including vegetables and fruits. Types of vegetarians include flexitarian, pescatarian, lacto-ovo, lacto, and finally, complete vegan.

There are many reasons why a vegetarian diet is good for the environment. Firstly, a vegetarian diet can help mitigate climate change and reduce greenhouse gas emissions. It also has the potential to reduce the negative impacts associated with animal welfare, such as factory farming. For these reasons, we launched a campaign to protect the environment.

I held a picket and conducted a survey on vegetarianism. The survey included gathering students' opinions on vegetarianism and determining whether they supported or objected to having vegetarian meals served at school once a month.

The survey showed that there were more objections. While I respect the students' opinions, I hope that through our activities, they can become more interested in vegetarian food. Also, I hope that people who are unfamiliar with vegetarianism can learn more about it.

The environment is public property for all of humanity. If we indiscriminately destroy it, not only will future generations suffer but also we ourselves can no longer live. Keep this in mind!

Environmental pollution caused by fast fashion and its solutions

Eunbin Kim

Have you heard about fast fashion? The term "fast fashion" describes the quick availability of stylish apparel by reducing the amount of time needed from production to distribution.

Fast fashion contributes to a number of issues, including air, water, and soil pollution. First, the manufacture of polyester, which is a type of synthetic fiber, releases carbon dioxide into the atmosphere, which quickly raises greenhouse gas emissions. Second, a piece of T-shirt requires 2,700 liters of water to make, and some textile businesses secretly release illegal amounts of water during the dyeing process to save management expenses, which degrades the water quality. Finally, because clothing waste is not recycled, toxins from synthetic fibers damage the groundwater and land. As a result, the garments we purchase end up as clothing waste and significantly contribute to environmental contamination.

What are the good practices for disposing of used garments to prevent pollution? First, create energy by burning clothing waste. In Sweden, which has the highest renewable energy recovery rate, textiles and other general waste as well as recycled wood are being burned to produce energy.

Second, produce sustainable fibers and new energy. A company in Japan has successfully developed a technique to extract bioethanol from clothing waste. This technique allows them to collect discarded clothing nationwide and produce bioethanol through washing and fermentation. The company claims that one ton of used clothing waste can yield approximately 700 gallons of ethanol. Additionally, Aalto University in Helsinki, Finland, is developing a technique to create eco-friendly fibers by decomposing cotton and polyester blends from clothing leftovers. This technique aims to produce eco-friendly fibers from the mixture of cotton and polyester.

Finally, upcycle. Upcycling involves transforming used clothing into new items such as clothing, bags, and more. For example, 119REO reportedly upcycles fire suits and other protective clothing worn by firefighters to create backpacks, accessories, and other products. Additionally, the company Record disassembles old clothes and sews them together to create brand-new garments.

We have discussed environmental degradation thus far, along with solutions resulting from clothing waste. As a result, items purchased solely for their affordability and fashionability often end up as waste, causing negative impacts on the environment. To reduce this, it is important to consider whether what I want is actually practical and useful for me, rather than solely seeking novelty and beauty.

Let′s all strive to be environmentally conscious and wise consumers.

Middle school students' perception on veganism

Whiyoung Ryu

One day, some of our club members and I were chit-chatting. Suddenly a friend showed us a video of vegan activists. In the video, the activists were attacking a family restaurant, shouting "what you're eating now is not a loaf of meat but a life." Staff in the restaurant looked puzzled, and the customer looked confused and surprised. It was a total chaos. The scene was so shocking that it rather looked funny than serious. So some of us laughed while watching it. The video clip naturally led us to think about why it made us laugh rather than reflect on our diet. We shared our opinions about veganism. Veganism is a strict and complete form of vegetarianism in which one consumes only plant-based foods, such as vegetables, fruits, and seaweed, and nothing else. During the discussion, various opinions came up. Someone said many middle school students consider vegans as weirdos. I wonder how other students really think about this issue so I planed to conduct a survey on veganism to hear from many students.

The questionaire is spread to Munsan middle school students in Gwangju, Korea through 'google survey' and 96 students answered.

These are the questions and results.

The first question in the survey was 'What are your thoughts on a vegan diet?'.

What are your thoughts on a vegan diet?

The most common response was "It does not taste good." Students tend to associate a vegan diet with salads, bean meat or mushrooms, which is why they think it lacks flavor.

The second question was, "How often would you be willing to incorporate a vegan diet into your meals?"

How often would you be willing to incorporate a vegan diet into your meals?

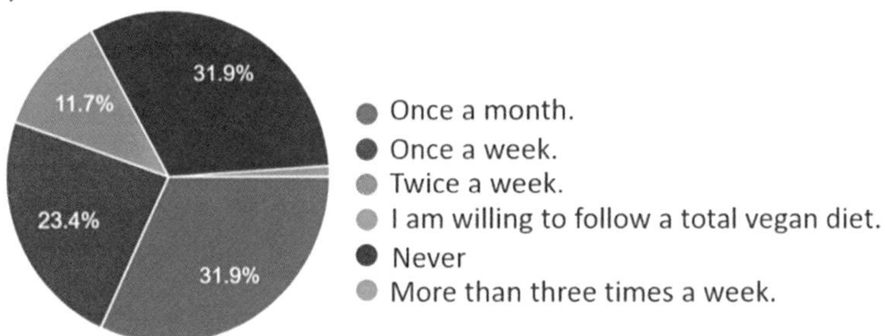

Unexpectedly, many students seem to be willing to try a vegan diet if they have a chance. 67% of students answered they are willing to try a vegan diet more than once a month, although none of them answered to be a vegan.

When asked what hinders them from trying a vegan diet, 35.4% of students said they don't know much about a vegan diet, and 23% answered that they can't find any vegan restaurants around. 17.7% said it's hard to try vegan diet all by themselves without any friends.

The last question was, "Have you ever come across videos or news about vegans? If yes, how were vegans portrayed in those videos or news?

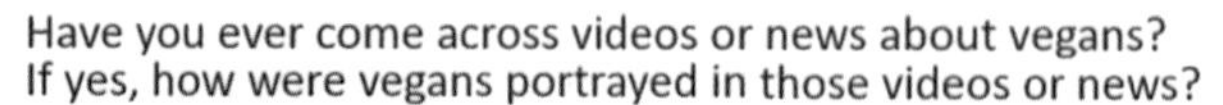

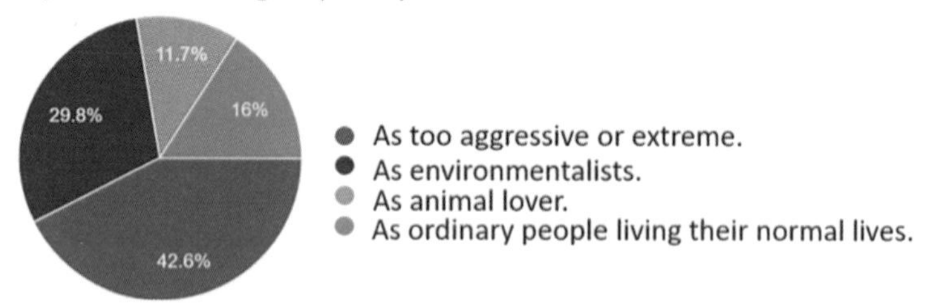

I found this question to be the most interesting. I would have expected they have seen a video about veganism, which has a positive impact on the environment. However, in fact many students saw aggressive or extreme videos, similar to the one we watched.

This survey of 'middle school students' perception on veganism' revealed a range of perspectives and thoughts on a vegan diet, among students.

33% of replies that they would never try a vegan diet suggests that vegan diets may not be widely accepted among students yet. However, 67% students seem to have a potential to be a flexitarian, showing that they would like to try a vegan diet at least once a month. A lack of understanding regarding vegan diets and less accessibility to vegan restaurants are the huddles to overcome to spread a vegan diet.

Furthermore, regarding the media about vegans, most students have seen ″extreme or aggressive″ ones. This reflects students′ concerns about how the media portrays veganism and indicates that the media should strive for a more balanced approach when covering vegan-related topics.

Suggestion Letter to a beverage company

Yerin Yang

Subject: Suggestion for Improving Braille Labels

I am writing this letter to you to suggest a change in the labeling of products in Braille to better assist individuals with visual impairments. It may be challenging for the blind to identify items when the labels contains too simple words like 'Drink' in Braille.

To solve this problem, I propose making the labels more descriptive and specific. When creating a label for beverage, it would be better to include the type of beverage and brand name rather than the type of food. For instance, "Drink" can be changed into "Jeju tangerine juice."

I believe that implementing such improvements can enhance the accessibility to your products for the visually-impaired and Braille users, certainly promoting their consumption.

Yours truly,

Yerin Yang

Why are deserts on the sea?

Gayeon Lee

When you think of deserts, what comes to mind? Many of us picture camels, cacti, pyramids, and other features found on land. However, did you know that even the beautiful ocean is turning into a desert?

The underwater forests of vibrant marine algae are disappearing, and white calcareous algae are taking their place, turning rocky areas white. This phenomenon is known as marine desertification.

Why does marine desertification occur? The answer lies with us, humans. The pristine ocean is being polluted by the trash we casually discard. Our frequent use of automobiles emits pollutants and contributes to global warming. The once blue and thriving sea has turned pale due to human actions.

Marine desertification doesn't just have an impact on the ocean; it affects us too. The algae that used to absorb carbon dioxide, produce oxygen, and serve as food for marine life are disappearing, endangering life on Earth. We might not be able to enjoy the diverse beauty of our oceans for much longer.

Therefore, we need to make efforts to stop marine desertification. Planting seaweed is one effective method, but it can be challenging for individuals like 'me' to undertake. Nevertheless, there are things I can do. By reducing plastic use and minimizing marine litter, we can help delay marine desertification. They say there's no time like the present. How about starting to protect the oceans now?

Part 4

Environmental Project

Environmental Project

Nayeon Kim, Youngeun Rho

1. The Beginning of the Project

Our club started with only three members and a teacher. It was so small that I wondered if we could call this a club. We joined the club without any particular reasons. We did just because the teacher was a wonderful person. To be honest with you, initially, we didn′t have a strong interest in the environment and we even didn't know this is an environmental club. Despite the small size of this group, all of the members including our teacher were passionate, which made every club meeting enjoyable and exciting. I developed a great sense of pride in my club through various activities. Now, let me share a project we'd done for a year.

At our first meeting, we designed a year-long plan for this English environment club. Our ideas were limited to typical environmental activities like picking up trash or raising a campaign for using public transportation, considering environmental aspects. Seeing us quietly, our teacher suggested an idea.

″What if we open a secondhand market?″

″A secondhand market?″

We cheered with great anticipation.

"Great! That sounds fun."

Then ideas flooded.

"How about giving coupons for bringing plastic bottles?"

"Let's plant flowers in those plastic bottles and turn them into flower pots!"

"Let's give the pots to donors as a token of appreciation."

We discussed about it enthusiastically. The following is the outline for the project that we made on that first meeting.

Instructions for our secondhand market

1. Collect plastic bottles.
   Students can get a coupon that will be used as a currency for the market, if they bring us three plastic bottles.
2. Upcycle the plastic bottles into flower pots.
3. Give the flower pots to students who donate items for our second-hand market.
4. Send gifts to the donors who grow their plants well and finally see their flowers.
5. Open a second-hand market with the collected items.

With the overall plan in place, we began promoting collecting plastic bottles. We created a poster and we put in a cute character that we designed for ourselves. We collected only properly washed and dried bottles with the labels removed, as this is the way to recycle plastic bottles. Surprisingly, many students joined this campaign so we could gather more than we had expected. It seemed that our sincerity had resonated with them.

플라스틱 패트병
가져오세요!!!
장소: 3층 영어실
문은교 선생님께!!
2-4반 민우에게도 제출가능!!
패트병3개=쿠폰
기한은 이번주까지!!(6/ 3)
플라스틱 패트병을 쿠폰과
바꾸어 드립니다
쿠폰의 비밀은 다음에....
funfun ENGLISH

2. Our Little Garden

As planned, we upcyle the bottles into flower pots. We thought over what kinds of seeds we should prepare. Students were supposed to grow flowers so we bought seeds of morning glory, sun flower, chrysanthemum and sponge gourd.

On a sunny day, we grabbed shovels, well-cut plastic bottles, and the seeds outside. We poured good soil into large containers and began planting the seeds. The task involved filling the bottles with a suitable amount of soil, selecting seeds to plant, and covering them with a little bit of soil. It became a bit repetitive as we continued the same process, but we felt thrilled and excited, imagining the beautiful flowers that would bloom later. Finally, we could get several pots. The pots arrayed in a straight line made me feel proud of myself.

After watering the plants, we discussed what to do with the remaining seeds. In the end, we unanimously agreed to create our own small garden in the school flower bed. Holding the seeds, we approached the flower bed. We planted sunflowers on the sunny side and sponge gourds and morning glories beside the fence.

Having done all the things, we straightened our sore backs and looked up at the sky. It was a clear blue sky without a single piece of cloud. I prayed that our club would be filled with nothing but good things, just like that sky.

3. Fun Fun Green Market

Finally, the day has come to open the long-awaited secondhand market. We named our market 'Fun Fun Green Market'

Fun Fun Green Market was first opened to premium customers, and then to general customers. Premium customers are customers who received coupons by participating in previous events we held, such as collecting plastic bottles and donating used goods. They were given the privilege of entering our market first.

In contrast, regular customers are those who have not participated in previous events but would like to enjoy this market. These customers are required to pledge to take action for the environment in order to receive a coupon. To facilitate this process, we use the the website at https://sign4future.org/. Since it was mandatory to complete this pledge in order to enter the market, many students were eager to make a commitment to the environment. However, one particular pledge, "I'll try not to eat meat," posed a challenge for many customers. It seemed difficult for them as protein is an essential nutrient and students often have a craving for meat. To accommodate their concerns, we informed them that it was okay to skip that particular pledge if they found it too challenging.

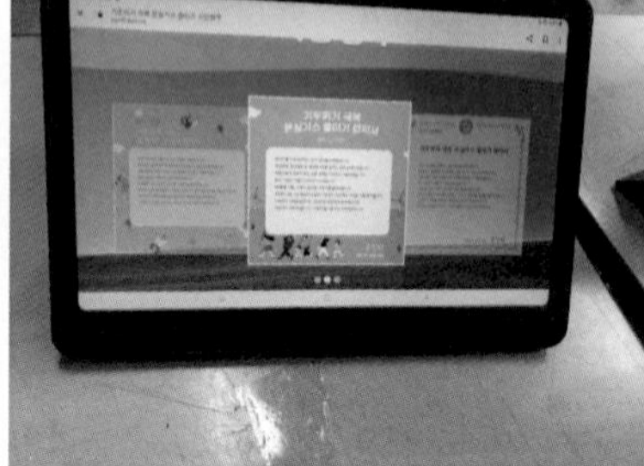

Pledges for Environment

We asked customers who pledged to take action for the environment how they felt and what they learned from it. We were pleased to receive many positive responses, such as "After completing the Environmental Pledge, I feel like I have a better understanding of the environment," and "Now I know what I can do to help protect the environment." We were proud to see such a positive response from our customers and hope that this event has encouraged them to think more about environmental issues and take action to protect our planet.

Daily necessities

Stationery shop

Customers for the market

Zero-waste shop

The Fun Fun Green Market featured a stationery shop, bookstore, games and entertainment, daily necessities, and a zero-waste shop. However, the main attraction was definitely the zero-waste shop. This eco-friendly store was filled with a diverse range of products, including shampoo bars, solid toothpaste, silicone straws, bamboo toothbrushes, and handcrafted items made from recycled materials. Additionally, we displayed a poster at the back of the zero-waste shop that showcased other zero-waste shops in our town. We also introduced the 5R movement, which stands for reduce, reuse, recycle, refuse, and rot. It aimed to raise awareness about sustainable practices and encourage visitors to adopt a more environmentally friendly lifestyle.

However, initially, the information didn't attract the students' attention much. They would often pass by the posters without giving them a second glance. Additionally, since most of our customers were middle school students, they were more interested in items like stationery, games, and luxurious items such as luggage, rather than daily necessities that were available at the zero-waste shop. Only a few teachers showed interest in our zero-waste shop. We felt a little disappointed because the focus of our efforts didn't seem to attract the target customers.

Despite this initial setback, we remained enthusiastic and determined to educate visitors about the significance of zero-waste products and why they were worth trying. As we continued to explain the unique features of the zero-waste products, more and more students started to show interest and flocked to the zero-waste shop.

'Fun Fun Green Market' turned out to be a huge success in the end! We had far more customers than we anticipated. We even received requests to reopen the market. One customer even reordered a handcrafted item made of sock remnants. We felt a great sense of pride, and this feeling of joy and accomplishment will be cherished for a long time.

4. Plastic Station

We collected plastic bottles for the market. Many students participated in this event and we upcycled the plastic bottles into flower pots. As a result, we had many colorful bottle caps.

One day, we headed to the Plastic Station with bags of plastic bottle caps in our hands. The Plastic Station was a truly fascinating place with many beautiful artworks. We were amazed when the teacher there told us that all of the displayed artworks were made from plastic bottle caps. It was truly astonishing that such items could be made from bottle caps that seemed like useless. We took photos of the artworks and listened to a small lecture about plastic and recycling, all while feeling a sense of wonder. Seeing our excitement, the teacher smiled and asked if we wanted to try creating something ourselves. Of course, we eagerly agreed. The teacher showed us a few examples of what we could make, such as key rings, or toothbrush squeezers. Among the options, I chose to make a cute cat toothbrush squeezer, while my friend chose to make a key ring. We started by melting the plastic and pouring it into molds, allowing it to solidify. The colors of the bottle caps turned out so vibrant and beautiful that both my friend and I were filled with joy. We took a group photo to capture the moment. On our way back, we couldn't help but think about the teacher at the Plastic Station who dedicated their time to recycling and creating art from discarded items. It made us appreciate how important it is to take care of our planet, and we felt grateful for people like the teacher who are making a positive impact.

5. Tour to 'Yanglim Energy Trasition Village'

All of the 2022 club members visited Yanglim Energy Transition village, which is also known as Penguin village, and joined a tour program about the energy transition and recycling.

The tour started with Penguin village' s amazing history. Penguin village was originally abandoned and everybody was supposed to leave. One day, some artists saw the big dumps of clocks and waste and started to make artworks using the trash and draw pictures on the walls of the village. Those artworks attracted many people and villagers came back. Now, Yanglim village is one of the hot spots in Gwangju.

Seeing the artworks made of garbage displayed at the village, we learned that trash can also be a great piece of artwork depending on how we use it.

These garbage statues must have been very new to visitors. In that sense, Penguin Village was really cool and meaningful. We hope many people know about this small village and realize the value the villagers pursue.

In addition, it was nice to see the waste umbrella recycling bin and the recycling box with 5 compartments. The aprons and clutch bags made from used umbrellas were amazing.

We hope to have recycling bins in the parks in our town as well. So we are planning to go plogging to see where the right place for the recycling bin is and asking the government to set up the bins in our town. Let's make our village a better place!

Part 5

Epilogue

: I love my self!

Taehee Kim

1. What brought you to join this club?

I joined this club because I wanted to learn English in a new way through writing. To learn English through writing has been fun, and my English skills has also improved.

2. What does the environment mean to you?

I used to think that the environment was just 'the state of the earth we live in', but now I see it as more than that. It's like our life support or a family member that we must not take for granted.

3. What environmental activities are you particularly interested in or actively engaged in?

I have been trying to prioritize a vegan diet lately because I realized that relying solely on meat consumption is not only detrimental to the environment but also to my own well-being. It makes me proud to know that by adopting such a simple approach, I can contribute to saving the planet, even if it's just a little.

4. What insights have you gained from club activities?

Writing has brought me a unique joy in the language and has made me more aware of the various environmental issues and challenges. It has also expanded my knowledge about the environment.

Whiyoung Ryu

1. What brought you to join this club?

I was invited by my teacher to join the environmental club. Since I am interested in the environment, so I decided to join.

2. What does the environment mean to you?

To me, the environment is a precious heritage that we must pass on to our descendants.

3. What environmental activities are you particularly interested in or actively engaged in?

I like gardening. I purchased a hydroponic cultivation system and I have been consistently growing plants.

4. What insights have you gained from club activities?

After participating in the environmental club, my awareness and sense of responsibility towards the environment increased. I made efforts to reduce carbon dioxide emissions by growing plants, and it became a great opportunity to educate my family about the importance of environmental protection.

Yeongeol Ji

1. What brought you to join this club?

I joined this club because I enjoy gardening. When I heard from a friend that this club has a patch of field to grow plants such as chives, lettuce, and eggplants, I decided to join.

2. What does the environment mean to you?

To me, the environment is something essential. When the environment is not good, it can lead to various problems that have a negative impact on our lives. I believe that having a healthy environment is necessary, and it's important to protect it.

3. What environmental activities are you particularly interested in or actively engaged in?

The environmental activity I am actively engaged in is gardening in our school garden. I've been watering the plants every day since I joined this club.

4. What insights have you gained from club activities?

When I first joined the club, I started with a light-hearted attitude. However, as I participated in various club activities like plogging, trash mapping, and environmental events, I find myself contemplating how I can practically contribute to the environment. I've developed an interest in my immediate surroundings and even consider running a campaign to discourage littering on the streets.

Eunbin Kim

1. What brought you to join this club?

I joined this club because I wanted to become better at writing in English and because I became interested in the environment after growing a lot of plants at home.

2. What does the environment mean to you?

The environment and people seem to support one another. We live by conserving the environment, just as the environment helps us live.

3. What environmental activities are you particularly interested in or actively engaged in?

I'm trying to use fewer single-use items. In the past, I used a lot of single-use products, so there was a lot of disposable waste. However, after participating in this club activity, I started using tumblers at school and making an effort to reduce the use of disposable products at home. I hope these little environmental changes will be beneficial for the environment.

4. What insights have you gained from club activities?

Through the club activities, I became aware of how vital the environment is to me and decided that I should take care of it. Also, I think my English improved as well while writing for this book. Overall I enjoyed many activities that I've done in this club.

Juyoung Park

1. What brought you to join this club?

The reason I joined this club was because of a friend's recommendation. My friend told me that the it was fun, so I became curious and decided to join.

2. What does the environment mean to you?

I believe that environment is the foundation of life and environmental activities are one way to preserve the home where I will live in the future.

3. What environmental activities are you particularly interested in or actively engaged in?

Lately, I have been interested in activities related to plastic because I consider plastic to be the culprit behind modern environmental pollution. The impact of plastic on health and the environment is significant globally.

4. What insights have you gained from club activities?

Through my participation in this club, I have realized that environmental pollution is much more serious global problem than what we know. It continues to rapidly deteriorate. I have also come to the understanding that we need to cherish and preserve the environment even more.

Yerin Yang

1. What brought you to join this writing activity?

The opportunity to participate in this writing activity came about when I joined a plogging event. Following the event, my teacher suggested I write about my experience with environmental activities. That's how I got involved in writing the article.

2. What does the environment mean to you?

I believe that the environment is a living space and one of the most crucial aspects of our lives.

3. What environmental activities are you particularly interested in or actively engaged in?

I am interested in upcycling plastic bottle caps into keychains or toothpaste tube squeezers.

4. What insights have you gained from club activities?

Through this writing activity, I became more attentive to the surrounding environment. It also made me realize how serious illegal littering is. It prompted me to think that even small actions matter and should be put into practice.

Nayeon Kim

1. What brought you to join this club?

To be honest, I joined this club without much thought. First of all, the teacher was kind, and at that time, the club was called 'Fun fun English', so I focused more on the word 'English' rather than the keyword 'environment' and chose this club.

2. What does the environment mean to you?

I haven't thought much about the environment, but I think the environment is something that needs to be protected. It's not a choice, but an obligation for people to practice environmental conservation.

3. What environmental activities are you particularly interested in or actively engaged in?

Personally, I practice 'recycling' and 'reducing the use of disposable items'. Since I have been participating in the environmental club, I often think before throwing away trash, "What would happen if I throw away this trash...?" or before using disposable items, I think, "Is it really necessary for me to use this?"

4. What insights have you gained from club activities?

Before joining this club, I thought that it wouldn't make a difference whether I practiced environmental conservation or not, because others wouldn′t do it anyway. However, through practicing one by one with the teacher and friends in this club, I realized that my actions can influence people around me. Now, my mindset has changed from ″Even if I do it, what′s the point?″ to ″I can make a difference too! "

Youngeun Rho

1. What brought you to join this club?

I joined the club 'Fun Fun English' because I thought it was an English club. But it turned out that it was an environmental club! ha-hahaha)

2. What does the environment mean to you?

Well... isn't it a legacy that should be passed on to the offspring in its full form? I should not pass down the destroyed earth to my de-scendants. That's why I think conserving environment is important.

3. What environmental activities are you particularly interested in or actively engaged in?

I try not to use plastic products. People use plastic so much that there are plastic islands in the ocean. Plastic does not rot very well, which not only poses a significant threat to the Earth's environment, but can also cause pain to marine life. Therefore, in order to refrain from using such plastic, I am carrying a tumbler and eco-bag every-day.

4. What insights have you gained from club activities?

Many people say that the it is difficult to change the environment because it is the realm of nature, but it is not. Even the smallest actions can help relieve the Earth's pain if the whole world comes together. In fact, we must heal the pain and save the Earth. Humans bear full responsibility for the current situation. The Earth has been plagued by too much use of fossil fuels since the Industrial Revolution in the 18th century, and the plastics and disposable products these days. Therefore, it should be us who have to restore the Earth back. Remember it's never too late.

Gayeon Lee

1. What brought you to join this writing activity?

I tagged along with my friend, who is a member of this club, and received a proposal to illustrate all of the club members for this book. I accepted the offer because I thought participating in this writing project would be meaningful and beneficial for the environment.

2. What does the environment mean to you?

I think the environment is essential for me to survive.

3. What environmental activities are you particularly interested in or actively engaged in?

I am growing various plants at home.

4. What insights have you gained from club activities?

I was able to see what I didn't know. What I thought I knew was wrong. The Earth is in greater danger than I thought. I also learned about greenwashing behind the word 'eco-friendly'.

Teacher, Eunkyo Moon

The earth we are living on is so beautiful, probably because it is filled with diverse living creatures, each with their own beauties and thoughts.

I sowed the seeds with our club members in spring.

I wanted to describe these teenagers who are just like fresh green sprouts growing day by day under the shining sunlight.

What kinds of flowers will they bloom into when they grow up?

I agree with the idea that engaging in environmental activities is much more effective when done together with others rather than alone. For the past two years, my club members and I have engaged in various activities to improve the environment. I have come to the conclusion that it is better to share our story rather than keeping it between us. If our story can resonate with at least one person, then it is worth the effort.

We are planting seeds on hearts.

I hope that each student's story touches the hearts of you and brings forth fresh growth.

참고 문헌

<도서>

- 조천호, ≪파란 하늘, 빨간 지구≫, 2019
- 최원형, ≪환경과 생태 쫌 아는 10대≫, 2019
- 고금숙, ≪우린 일회용이 아니니까≫, 2019
- 장 뤽 포르케, ≪동물들의 위대한 법정≫, 2022
- 김해동, ≪기후위기 과학특강:"도와줘요, 기후박사!"≫, 2021
- 산소발자국, ≪산소발자국을 따라서 지구지키기≫, 2022
- 크리스토프 드뢰서, ≪이토록 불편한 고기≫, 2021

<웹페이지>

- 생태시계 https://climateclock.world/
- 기후 위기 적응 정보 포털. https://kaccc.kei.re.kr/portal/
- 환경서약서 https://sign4future.org/
- 환경신문 https://fksm.co.kr/
- 네이버 국어사전 https://ko.dict.naver.com/
- 환경서약서 https://sign4future.org/

<기사>

- 함께해요, 생태적 실천: 낭비 없이 재활용… '제로 웨이스트' 실천하자. (2022. May 8). 가톨릭뉴스. https://m.catholictimes.org/mobile/article_view.php?aid=368696
- 초록발자국. (2023, May 9). 플라스틱 환경 오염 문제점 5가지 알아보기! Green News 360. https://greennews360.com/cause-of-plastic-pollution/#google_vignette
- 기후위기 시대, 채식이 지구를 살린다. (2020, October 17). 경향신문. https://m.khan.co.kr/national/national-general/article/202010171001001#c2b
- 알쏭달쏭 바다세상2 에베레스트 잠기고도 남을 마리아나 해구. (2021 Janurary 17). 연합뉴스. https://www.yna.co.kr/view/AKR20210115130000051